DR. OETKER
KÜCHENBIBLIOTHEK

QUICHE & CO.

MOEWIG

Die Rezepte sind – wenn nicht anders angegeben – für 4 Personen berechnet.

Die Rezepte in diesem Buch sind mit aller Sorgfalt zusammengestellt und überprüft worden; dennoch kann eine Garantie nicht übernommen werden. Eine Haftung des Verlags und seiner Beauftragten für Personen-, Sach- und Vermögensschäden ist ausgeschlossen.

VPM Verlagsunion Pabel Moewig KG, Rastatt

ISBN 3-8118-4763-5

Inhalt

Pizzen in vielen Variationen

Pizza

Für den Teig:

300 g Weizenmehl

1 Pck. Trocken-Backhefe

1/2 TL Zucker

1 TL Salz

3 EL Speiseöl

125 ml (1/8 l) lauwarmes Wasser

Für den Belag:

500 g Tomaten

etwa 200 g Shrimps

100 g Muscheln aus der Dose

1 Glas grüne Oliven (85–90 g)

2 Zwiebeln

2 EL Speiseöl

1 TL Oregano

250 g Mozzarella

50 g geriebener Emmentaler

1. Für den Teig Mehl in eine Rührschüssel sieben, mit Hefe sorgfältig vermischen. Zucker, Salz, Öl und Wasser hinzufügen. Alle Zutaten mit einem Handrührgerät mit Knethaken zuerst auf der niedrigsten, dann auf der höchsten Stufe in etwa 5 Minuten zu einem Teig verkneten.

2. Teig an einem warmen Ort so lange stehenlassen, bis er sich sichtbar vergrößert hat.

3. Teig auf einem gefetteten Backblech ausrollen.

4. Für den Belag Tomaten waschen, abtrocknen, Stengelansätze entfernen. Tomaten in Scheiben schneiden. Shrimps trockentupfen. Zwiebeln abziehen, halbieren, in Scheiben schneiden.

5. Die Teigplatte mit Speiseöl bestreichen, den Belag gleichmäßig darauf verteilen und mit Oregano bestreuen. Backblech in den Backofen schieben.

Ober-/Unterhitze: etwa 200 °C (vorgeheizt)
Heißluft: etwa 180 °C (nicht vorgeheizt)
Gas: etwa Stufe 4 (vorgeheizt)
Backzeit: etwa 25 Minuten.

6. Mozzarella abtropfen lassen, in Scheiben schneiden und mit dem Emmentaler Käse über die Pizza geben.

Beigabe: Grüner oder gemischter Salat.

Pizza Vier Jahreszeiten

Für den Teig:

20 g frische Hefe
1/2 TL Zucker
125 ml lauwarmes Wasser
250 g Weizenmehl
2 EL Olivenöl
1/2 TL Salz

Für die Sauce:

1 Zwiebel
1 Knoblauchzehe
2 EL Olivenöl
1 EL Tomatenmark
1 Dose (400 g) pürierte Tomaten
getrockneter Rosmarin
getrockneter Oregano

Salz
frisch gemahlener Pfeffer

Für den Belag:

1 Dose (180 g) Artischockenherzen
1 Tomate
1 Dose (175 g) Champignons
1 kleine rote Paprikaschote
1/2 Gemüsezwiebel
100 g Thunfisch
50 g Salamischeiben
100 g geriebener Edamer
125 g Mozzarellastücke

1. Aus den Teigzutaten einen Hefeteig herstellen, an einem warmen Ort so lange gehen lassen, bis er sich sichtbar vergrößert hat.

2. Hefeteig rund ausrollen, Teigplatte auf ein gefettetes Backblech legen.

3. Zwiebel und Knoblauch abziehen, fein würfeln, in erhitztem Öl andünsten.

4. Tomatenmark, pürierte Tomaten und Gewürze hinzufügen und zu einer Sauce einkochen lassen.

5. Die abgekühlte Sauce auf den Teig streichen.

6. Artischocken abtropfen lassen, Tomate waschen, Stengelansatz entfernen, in Scheiben schneiden, Champignons abtropfen lassen, in Scheiben schneiden.

7. Paprika vierteln, entkernen, waschen, in feine Streifen schneiden. Zwiebel abziehen, in Streifen schneiden.

8. Ein Viertel der Pizza mit Tomatenscheiben und Artischocken belegen. 1/4 mit Champignonscheiben und Paprikastreifen belegen. 1/4 mit Zwiebel und Thunfisch belegen. 1/4 mit Salamischeiben belegen.

9. Die Pizza mit Oregano, Salz und Pfeffer bestreuen. Die Käsesorten beliebig darauf verteilen.

Ober-/Unterhitze: 200–220 °C (vorgeheizt)
Heißluft: 180–200 °C (nicht vorgeheizt)
Gas: Stufe 4–5 (vorgeheizt)
Backzeit: etwa 25 Minuten.

Schnelle Pizza

Für den Teig:

250 g Weizenmehl

1/2 Pck. Backpulver

Salz

25 g weiche Butter

50 g geriebener alter Gouda

125 ml (1/8 l) Milch

Für den Belag:

1 Zwiebel

2 EL Olivenöl

2 EL Tomatenmark

gerebelter Oregano

gerebelter Majoran

frisch gemahlener Pfeffer

50 g geriebener Parmesan

50 g Anchovisfilets (aus dem Glas)

schwarze Oliven

1. Für den Teig Mehl mit Backpulver mischen und in eine Rührschüssel sieben. Salz, Butter, Käse und Milch hinzufügen. Die Zutaten mit einem Handrührgerät mit Knethaken zunächst kurz auf niedrigster, dann auf höchster Stufe gut durcharbeiten.

2. Die Masse anschließend auf der Arbeitsfläche zu einem glatten Teig verkneten, sollte er kleben, ihn eine Zeitlang kalt stellen.

3. Für den Belag Zwiebel abziehen und würfeln, in Öl etwa 5 Minuten andünsten.

4. Tomatenmark, Kräuter, Salz und Pfeffer unterrühren.

5. Teig auf der bemehlten Arbeitsfläche zu einer Platte (Ø 24 cm) ausrollen und auf ein gefettetes Backblech legen.

6. Mit Tomatenbrei bis an den Rand bestreichen, mit Parmesan bestreuen und mit einem Gitter aus Anchovisfilets und Oliven belegen. Das Backblech in den kalten Backofen schieben.

Ober-/Unterhitze: etwa 220 °C
Heißluft: etwa 200 °C
Gas: Stufe 4–5
Backzeit: 20–25 Minuten.

7. Pizza in Stücke schneiden und warm servieren.

Grüne Riesenpizza

(etwa 8 Portionen)

Für den Teig:

150 g Magerquark
90 g (6EL) Olivenöl
1 Ei
1 TL Oregano, gerebelt
200 g Weizenvollkornmehl
50 g Maismehl
Meersalz
1 EL Wasser

Für den Belag:

300 g Brokkoli
Salzwasser
200 g Zuckerschoten
2 Bund kleine Frühlingszwiebeln
200 g Zucchini
1 Bund Petersilie
4 EL saure Sahne
300 g Mozzarella

1. Für den Teig die angegebenen Zutaten zu einem geschmeidigen Teig verarbeiten, gut durchkneten.

2. Für den Belag Brokkoli unter fließendem kaltem Wasser abspülen, abtropfen lassen. Salzwasser zum Kochen bringen, den Brokkoli darin etwa 2 Minuten blanchieren, mit einem Schaumlöffel herausheben, abtropfen lassen.

3. Zuckerschoten waschen, abtropfen lassen, die Enden abzwicken, dabei evtl. vorhandene Fäden abziehen. Frühlingszwiebeln von welken Blättern und Wurzeln befreien, unter fleißendem, kaltem Wasser waschen, trockentupfen, der Länge nach halbieren. Zucchini waschen, trockentupfen, die Enden abschneiden, die Zucchini in Scheiben schneiden.

4. Petersilie unter fließendem kaltem Wasser abspülen, trockentupfen, die Blättchen von den Stengeln zupfen. Zusammen mit der sauren Sahne mit dem Pürierstab des Handrührgerätes pürieren.

5. Den Teig zur Kugel formen, auf ein mit Backpapier ausgelegtes Backblech legen, ausrollen und flachdrücken, mit der Petersiliensahne bestreichen, je ein Viertel mit einer der Gemüsesorten belegen.

6. Mozzarella in Würfel schneiden, auf die Pizza streuen, das Blech in die mittlere Schiene des Backofens schieben.

Ober-/Unterheitze: etwa 175 °C (vorgeheizt)
Heißluft: etwa 160 °C (nicht vorgeheizt)
Gas: etwa Stufe 3 (vorgeheizt).
Backzeit: 25–30 Minuten.

Pizza Romana

Für den Teig:

300 g Weizenmehl
1/2 TL Zucker
1 Pck. Trocken-Backhefe
4 EL Speiseöl
1 gestr. TL Salz
125 ml (1/8 l) lauwarmes Wasser

Für den Belag:

je 1 rote, grüne und gelbe Paprikaschote
4 Tomaten
1 Gemüsezwiebel
250 g gekochter Schinken
200 g mittelalter Gouda
3 EL Tomatenketchup

1. Für den Teig Mehl in eine Rührschüssel sieben, mit Zucker und Hefe vermischen. Öl, Salz und Wasser hinzufügen, mit einem Handrührgerät mit Knethaken zu einem Teig verarbeiten.

2. Den Teig so lange an einem warmen Ort gehen lassen, bis er sich sichtbar vergrößert hat. Auf der Arbeitsfläche nochmals kurz durchkneten, den Teig auf ein gefettetes Backblech ausrollen.

3. Tomaten waschen, Stengelansätze entfernen, in Scheiben schneiden. Paprika putzen, vierteln, entkernen, waschen und in kleine Würfel schneiden. Zwiebel abziehen, halbieren, in Streifen schneiden.

4. Schinken in Würfel schneiden, Käse reiben.

5. Den Ketchup auf denTeig streichen, die vorbereiteten Zutaten auf die Pizza verteilen und das Backblech in den Backofen schieben.

Ober-/Unterhitze: 200–220 °C (vorgeheizt)
Heißluft: 180–200 °C (nicht vorgeheizt)
Gas: Stufe 4–5 (vorgeheizt)
Backzeit: etwa 30 Minuten.

Pizza Margherita (Foto)

Für den Teig:

300 g Weizenmehl
1 Pck. Trocken-Backhefe
1/2 TL Zucker
1 TL Salz
3 EL Speiseöl
125 ml (1/8 l) lauwarmes Wasser

Für den Belag:

400 g enthäutete Tomaten
250 g Mozzarella
Salz
frisch gemahlener Pfeffer
12 Blatt frisches Basilikum
50 g geriebener Parmesan
3 EL Olivenöl

1. Für den Teig Mehl in eine Rührschüssel sieben, mit Hefe sorgfältig vermischen. Zucker, Salz, Öl und Wasser hinzufügen. Alle Zutaten mit einem Handrührgerät mit Knethaken zuerst auf der niedrigsten, dann auf der höchsten Stufe in 5 Minuten zu einem Teig verkneten.

2. Den Teig an einem warmen Ort so lange stehenlassen, bis er sich sichtbar vergrößert hat.

3. Teig auf einem gefetteten Backblech ausrollen.

4. Tomaten und Mozzarella in Scheiben schneiden, auf den Teig legen. Salzen und pfeffern. Basilikumblättchen fein hacken, auf der Pizza verteilen. Mit Parmesan bestreuen und mit Öl beträufeln.

5. Das Backblech in den Backofen schieben.

Ober-/Unterhitze: etwa 200 °C (vorgeheizt)
Heißluft: etwa 180 °C (nicht vorgeheizt)
Gas: etwa Stufe 4 (vorgeheizt)
Backzeit: 25–30 Minuten.

Sprossenpizza

Für den Teig:

400 g Weizenvollkornmehl
1/2 TL Zucker
20 g frische Hefe
250 ml (1/4 l) lauwarmes Wasser
2 Zwiebeln
2 EL Nußöl
1 Knoblauchzehe
Salz
Pfeffer

Für den Belag:

1 kg Fleischtomaten
250 g Erbsenkeime
250 g Kichererbsenkeime
250 g rote Linsenkeime
250 g gelbe Linsenkeime
4 EL Nußöl
6 EL geriebener Parmesan
2 EL Alfalfakeime

1. Für den Teig Mehl und Zucker in eine Schüssel geben. Hefe in Wasser auflösen, zu dem Mehlgemisch geben, den Vorteig etwa 10 Minuten gehen lassen.

2. Zwiebeln abziehen und in Würfel schneiden. Öl erhitzen und Zwiebelwürfel darin andünsten. Knoblauch abziehen, zerdrücken, unterrühren, mit Salz und Pfeffer würzen. Die Zwiebelmasse mit dem Teig verkneten und etwa 30 Minuten an einem warmen Ort gehen lassen.

3. Teig in 4 Portionen teilen, zu Pizzen von etwa 28 cm Durchmesser ausrollen und auf gefettete Backbleche legen.

4. Für den Belag Tomaten waschen, Stengelansätze entfernen, in Scheiben schneiden, auf die Pizzen legen, mit Salz und Pfeffer bestreuen. Erbsen-, Kichererbsen- und Linsenkeime so auf die Pizzen verteilen, daß jede Keimart ein Viertel bedeckt. Mit Öl beträufeln und mit Parmesan bestreuen.

5. Backbleche nacheinander auf der mittleren Schiene in den Backofen schieben.

Ober-/Unterhitze: etwa 200 °C (vorgeheizt)
Heißluft: etwa 180 °C (nicht vorgeheizt)
Gas: etwa Stufe 4 (vorgeheizt)
Backzeit: etwa 25 Minuten.

6. Alfalfakeime über die Pizzen streuen und servieren.

Käsepizza

Für den Teig:

375 g Weizenvollkornmehl

1 Pck. Trockenhefe

1 TL gemahlener Koriander

1 TL Meersalz

1 TL gemahlener Kümmel

1 Ei

180 ml lauwarme Milch

75 g zerlassene, abgekühlte Butter

Für den Belag:

200 g Zwiebeln, 30 g Butter

400 g Fleischtomaten

4 Peperoni

400 g Appenzeller Käse

Für den Guß:

200 g saure Sahne

200 ml Schlagsahne

3 Eier

3 EL Weizenvollkornmehl

1 TL Meersalz

frisch gemahlener Pfeffer

geriebene Muskatnuß

3 EL ganze Kümmelsamen

1. Für den Teig Mehl in eine Rührschüssel geben, mit der Hefe sorgfältig mischen. Gewürze, Salz, Ei, Milch und Butter hinzufügen, mit einem Handrührgerät mit Knethaken oder einer Küchenmaschine auf niedrigster Stufe zu einem glatten Teig verarbeiten, zugedeckt an einem warmen Ort so lange gehen lassen, bis der Teig sich sichtbar vergrößert hat. Nochmals durchkneten, auf einem gefetteten Backblech ausrollen.

2. Für den Belag Zwiebeln abziehen, würfeln, in Butter glasig dünsten, abkühlen lassen. Tomaten waschen, die Stengelansätze herausschneiden, die Tomaten in Scheiben schneiden. Peperoni putzen, waschen, in Scheiben schneiden, Käse grob würfeln, die Zutaten auf dem Teig verteilen.

3. Für den Guß saure Sahne und Schlagsahne mit Eiern verrühren, Mehl, Salz, Pfeffer und Muskat hinzufügen, gut verrühren, über den Belag gießen, mit Kümmel bestreuen und backen.

Ober-/Unterhitze: etwa 200 °C (vorgeheizt)
Heißluft: etwa 180 °C (nicht vorgeheizt)
Gas: Stufe 3–4 (vorgeheizt)
Backzeit: etwa 45 Minuten.

Champignonpizza

Für den Teig:

250 g Weizenmehl

Salz

20 g Hefe

1/2 TL Zucker

125 ml (1/8 l) lauwarmes Wasser

1/2 TL Olivenöl

Für den Belag:

1 Zwiebel

1 Knoblauchzehe

2 EL Olivenöl

400 g Tomaten (aus der Dose)

1 EL gehacktes Basilikum

frisch gemahlener Pfeffer

300 g Champignons

300 g Mozzarella

Olivenöl

2 EL gehackte Petersilie

1. Mehl in eine Schüssel sieben, mit Salz mischen, eine Mulde hineindrücken, Hefe und Zucker hineinbröckeln, lauwarmes Wasser und Olivenöl darübergeben. Hefe darin auflösen, 10 Minuten gehen lassen.

2. Zu einem Teig verkneten und zugedeckt an einem warmen Ort gehen lassen, bis er sich sichtbar vergrößert hat.

3. Zwiebel und Knoblauchzehe abziehen, würfeln.

4. Olivenöl erhitzen, Zwiebel und Knoblauch dünsten, Tomaten mit Saft dazugeben. Tomaten zerdrücken.

5. Basilikum unterrühren, mit Salz und Pfeffer würzen, etwas einkochen lassen.

6. Den Teig zu einer runden Platte ausrollen, auf eine gefettetes Backblech legen und mit der Tomatensauce bestreichen.

7. Champignons putzen, mit Küchenpapier abreiben, evtl. abspülen und in Scheiben schneiden. Mozzarella abtropfen lassen, in Scheiben schneiden, mit den Pilzen auf dem Teig verteilen.

8. Mit Olivenöl beträufeln, mit Petersilie bestreuen und in den Backofen schieben.

Ober-/Unterhitze: etwa 220 °C (vorgeheizt)
Heißluft: etwa 200 °C (nicht vorgeheizt)
Gas: etwa Stufe 5 (vorgeheizt)
Backzeit: etwa 20 Minuten.

Muschelpizza

Für den Teig:

300 g Weizenmehl

1 Pck. Trocken-Backhefe

4 EL Speiseöl

1 gestr. TL Salz

gut 125 ml (1/8 l) Wasser

Für den Belag:

250 g Champignons (aus der Dose)

2 Dosen (je etwa 180 g) spanische Muscheln

200 g gekochter Schinken

4 enthäutete Tomaten

10 spanische Oliven, mit Paprika gefüllt

250 g Edamer

5 kleine, rote Pfefferschoten (aus dem Glas)

1/2 EL eingelegte grüne Pfefferkörner

gerebelter Oregano

gerebeltes Basilikum

gerebelter Salbei

gerebelter Rosmarin

4 EL Olivenöl

1. Für den Teig Mehl in eine Schüssel sieben und mit Hefe sorgfältig vermischen. Öl, Salz und lauwarmes Wasser hinzufügen, mit einem Handrührgerät mit Knethaken zuerst auf niedrigster, dann auf höchster Stufe in etwa 5 Minuten zu einem Teig verarbeiten.

2. Den Teig an einem warmen Ort so lange gehen lassen, bis er sich sichtbar vergrößert hat, ihn dann nochmals gut durchkneten.

3. Den Teig halbieren, jede Teighälfte zu einer runden Platte von etwa 20 cm Durchmesser ausrollen und auf ein gefettetes Backblech legen.

4. Für den Belag Champignons abtropfen lassen und halbieren. Muscheln abtropfen lassen. Schinken, Tomaten, Oliven in Scheiben oder Stücke schneiden. Käse in Stücke schneiden. Pfefferschoten abtropfen lassen, entkernen und in Ringe schneiden.

5. Die Zutaten auf den beiden Pizzaböden verteilen, mit Pfefferkörnern, Oregano, Basilikum, Salbei und Rosmarin bestreuen, mit Öl beträufeln und Bleche in den Backofen schieben (ein Blech solange kalt stellen).

Ober-/Unterhitze: etwa 200 °C (vorgeheizt)
Heißluft: etwa 180 °C (nicht vorgeheizt)
Gas: Stufe 4–5 (vorgeheizt)
Backzeit: etwa 20 Minuten.

Drei-Pilze-Pizza

Für den Teig:

250 g Weizenmehl

Salz

20 g Frischhefe

1/2 TL Zucker

125 ml (1/8 l) lauwarmes Wasser

2 EL Olivenöl

Weizenmehl

Für den Belag:

je 200 g Pfifferlinge, Steinpilze und Champignons

4 Schalotten

100 g Butter

1 Knoblauchzehe

3 EL feingeschnittener Schnittlauch

3 EL gehackte Petersilie

frisch gemahlener Pfeffer

1 EL Olivenöl

400 g Käse

1. Mehl in eine Schüssel sieben, mit Salz mischen, eine Vertiefung eindrücken.

2. Hefe hineinbröckeln, Zucker darauf geben, Wasser und Olivenöl darübergießen, die Hefe darin auflösen und mit Mehl bedecken.

3. Diesen „Vorteig" etwa 10 Minuten an einem warmen Ort gehen lassen, danach die Zutaten von der Mitte mit Handrührgerät mit Knethaken zu einem glatten Teig verkneten, zu einer Kugel formen, mit etwas Weizenmehl bestäuben und zugedeckt an einem warmen Ort gehen lassen, bis er sich sichtbar vergrößert hat.

4. Für den Belag Pfifferlinge, Steinpilze und Champignons putzen, mit Küchenpapier abreiben, kleinschneiden. Schalotten abziehen, fein würfeln.

5. Butter zerlassen, Zwiebelwürfel darin andünsten, Pilze hinzufügen und mitdünsten lassen.

6. Knoblauchzehe abziehen, zerdrücken, mit Schnittlauch und Petersilie zu den Pilzen geben, mit Salz und Pfeffer würzen.

7. Den Pizzateig zu einer runden Platte von etwa 28 cm Durchmesser ausrollen, auf ein mit Olivenöl bestrichenes Back- oder Pizzablech legen.

8. Den Belag gleichmäßig darauf verteilen.

9. Käse reiben, darüberstreuen. Pizza in den Backofen schieben.

Ober-/Unterhitze: 200–220 °C (vorgeheizt)
Heißluft: 180–200 °C (nicht vorgeheizt)
Gas: Stufe 4–5 (vorgeheizt)
Backzeit: etwa 20 Minuten.

Tip: Sie können die Pizza auch mit anderen Pilzsorten, z.B. mit Austernpilzen, Egerlingen oder Shiitakepilzen belegen.

Mini-Pizzen

Für den Teig:

- 20 g frische Hefe
- 2–3 EL lauwarmes Wasser
- 300 g Weizenvollkornmehl
- 200 ml lauwarmes Wasser
- 1 EL Maiskeimöl
- 1/2 TL Salz
- 1 Bund Petersilie
- 1 Bund Sauerampfer
- 2 Knoblauchzehen

Für den Belag:

- 300 g Möhren
- 1 EL Maiskeimöl
- Salz
- 300 g kleine, feste Tomaten
- 300 g kleine Zucchini
- 300 g Mozzarella
- frisch gemahlener Pfeffer
- 4 EL Maiskeimöl
- 1 EL gehacktes Basilikum

1. Hefe in lauwarmem Wasser auflösen, mit Mehl, Wasser, Öl und Salz zu einem Teig verkneten.

2. Petersilie und Sauerampfer abspülen und fein hacken. Knoblauch abziehen, fein hacken, mit den Kräutern unter den Teig kneten und an einem warmen Ort gehen lassen, bis er sich sichtbar vergrößert hat.

3. Teig in 12 Portionen teilen, mit bemehlten Händen 12 runde, dünne Pizzaböden formen, auf zwei gefettete Backbleche legen und nochmals an einem warmen Ort gehen lassen.

4. Für den Belag Möhren putzen, schälen, waschen und in Scheiben schneiden. Öl erhitzen, Möhren darin andünsten, mit wenig Salz würzen und in etwa 6 Minuten halbgar dünsten.

5. Tomaten waschen, Stengelansätze entfernen, Tomaten in Scheiben schneiden. Zucchini waschen, Enden abschneiden, Zucchini in Scheiben schneiden. Käse abtropfen lassen und würfeln.

6. Je 4 Pizzen mit Zucchini, 4 mit Möhren, 4 mit Tomaten dicht belegen, mit Mozzarellawürfeln, Salz und Pfeffer bestreuen. Backblech in den Backofen schieben. Das andere kalt stellen. Das zweite Blech anschließend backen.

Ober-/Unterhitze: 180-200 °C (vorgeheizt)
Heißluft: 160–180 °C (nicht vorgeheizt)
Gas: Stufe 3–4 (vorgeheizt)
Backzeit: etwa 15 Minuten.

7. Pizzen mit Maiskeimöl beträufeln, mit Basilikum bestreuen und heiß servieren.

Pizza mit Sardellen

Für den Teig:

375 g Weizenmehl
1 Pck. Trocken-Backhefe
4 EL Olivenöl
1 gestr. TL Salz
1 TL Zucker
125 ml (1/8 l) lauwarmes Wasser
4 EL Olivenöl

Für den Belag:

200 g enthäutete Tomaten
200 g Mozzarella

frisch gemahlener Pfeffer
10 Sardellenfilets
(aus der Dose)
6 abgezogene Knoblauchzehen
50 g geriebener Parmesan
3 EL Olivenöl
gerebelter Majoran

1. Für den Teig Mehl in eine Schüssel sieben, mit der Hefe sorgfältig vermischen, Öl, Salz, Zucker und Wasser hinzufügen.

2. Alles mit einem Handrührgerät mit Knethaken zuerst auf der niedrigsten, dann auf der höchsten Stufe in etwa 5 Minuten zu einem Teig verarbeiten. An einem warmen Ort so lange stehen lassen, bis er sich sichtbar vergrößert hat. Dann noch einmal durchkneten.

3. Teig in 4 Teile teilen, jeden Teil zu einer runden Platte (Ø etwa 20 cm) ausrollen, auf ein gefettetes Backblech legen, Rand nach oben drücken. Teigfladen mit Öl bestreichen.

4. Für den Belag Tomaten und Mozzarella in Scheiben schneiden, beides auf den Teigfladen verteilen. Pfeffer darüberstreuen.

5. Sardellenfilets kreuzweise auf den Teig legen. Knoblauch in feine Scheiben schneiden, auf den Pizzen verteilen. Mit Majoran und Parmesan bestreuen, mit Öl beträufeln. Die Pizzen in den Backofen schieben.

Ober-/Unterhitze: etwa 200 °C (vorgeheizt)
Heißluft: etwa 180 °C (nicht vorgeheizt)
Gas: Stufe 3–4 (vorgeheizt)
Backzeit: etwa 15 Minuten.

Abruzzenpizza

Für den Teig:

- 250 g Weizenvollkornmehl
- 250 g feingemahlene Hirse
- 1 Pck. Trocken-Backhefe
- Meersalz
- 250 ml (1/4 l) lauwarme Milch
- 100 g weiche Butter

Für den Belag:

- 400 g Fleischtomaten
- 2 abgezogene Knoblauchzehen
- Meersalz
- schwarzer Pfeffer
- 2 TL getrockneter Oregano
- 1 TL getrocknetes Basilikum
- 2 grüne Paprikaschoten
- 1 rote Paprikaschote
- 4 Peperoni
- 4 Zwiebeln
- 100 g frische Champignons
- 30 g gefüllte Oliven
- 200 g geriebener Bergkäse (oder Gouda)
- 1 TL grobgemahlener Pfeffer

1. Weizenvollkornmehl mit der Hirse in eine Rührschüssel geben und mit der Backhefe sorgfältig mischen. Meersalz, Milch und Butter hinzufügen. Mit einem Handrührgerät mit Knethaken zunächst auf niedrigster, dann auf höchster Stufe zu einem Teig verarbeiten. Den Teig so lange an einem warmen Ort stehenlassen, bis er sich sichtbar vergrößert hat.

2. Für den Belag die Fleischtomaten kreuzweise einschneiden, kurz in heißes Wasser legen und enthäuten. Im Mixbecher der Küchenmaschine pürieren.

3. Die Knoblauchzehen, Meersalz, Pfeffer, Oregano und Basilikum zu den Tomaten geben. Die Masse kurz aufkochen, erkalten lassen.

4. Den Hefeteig nochmals gut durchkneten. Auf einem gefetteten Backblech ausrollen und mit der erkalteten Tomatenmasse bestreichen.

5. Die Paprikaschoten putzen, entkernen und waschen. Die Peperoni putzen, waschen und in kleine Scheiben schneiden. Die Zwiebeln abziehen und in Ringe schneiden.

6. Die Champignons putzen, waschen und blättrig schneiden. Die Oliven halbieren. Alle Zutaten auf der Tomatenmasse gleichmäßig verteilen und mit dem geriebenen Käse und Pfeffer bestreuen.

7. Das Blech an einen warmen Ort stellen, damit der Teig nochmals gehen kann, dann in den Backofen schieben.

Ober-/Unterhitze: 180–200 °C (vorgeheizt)
Heißluft: 160–180 °C (nicht vorgeheizt)
Gas: Stufe 3–4 (vorgeheizt)
Backzeit: 40–50 Minuten.

Spinatpizza

Für den Teig:

175 g Weizenmehl (Type 1050)
75 g Weizenschrot
1 Pck. Trocken-Backhefe
25 g zerlassene Butter
1/2 TL Zucker
Salz
frisch gemahlener Pfeffer
gut 125 ml (1/8 l) lauwarme Milch

Für den Belag:

1 abgezogene Zwiebel
75 g durchwachsener Speck
75 g gekochter Schinken
2 EL Speiseöl
600 g Blattspinat
2 Knoblauchzehen
geriebene Muskatnuß
Zitronensaft
400 g Fleischtomaten
2 EL gehackte Majoranblättchen
200 g geraspelter Käse
1–2 EL Olivenöl

1. Für den Teig Mehl in eine Schüssel sieben, mit Schrot und Hefe sorgfältig mischen. Butter, Zucker, Salz, Pfeffer und Milch hinzufügen. Mit Handrührgerät mit Knethaken zuerst auf der niedrigsten, dann auf der höchsten Stufe in etwa 5 Minuten zu einem Teig verarbeiten. Sollte er kleben, noch etwas Mehl hinzufügen (nicht zu viel, der Teig muß weich bleiben).

2. Teig an einem warmen Ort so lange gehen lassen, bis er sich sichtbar vergrößert hat, ihn nochmals kurz durchkneten. Teig zu einer runden Platte ausrollen, auf ein gefettetes Backblech legen.

3. Für den Belag Zwiebel, Speck und Schinken in Würfel schneiden. Öl erhitzen, den Speck darin ausbraten, Zwiebel- und Schinkenwürfel hinzufügen und 2–3 Minuten dünsten lassen.

4. Spinat sorgfältig verlesen, gründlich waschen, tropfnaß in einen Topf geben, zugedeckt etwa 5 Minuten dünsten lassen, abtropfen lassen. Mit Schinken-, Speck- und Zwiebelwürfeln vermengen. Knoblauch abziehen, fein würfeln und hinzufügen. Spinat mit Salz, Muskat und Zitronensaft würzen, auf dem Pizzaboden verteilen.

5. Tomaten waschen, abtrocknen, Stengelansätze herausschneiden, Tomaten in Scheiben schneiden, auf dem Spinat verteilen, mit Salz, Pfeffer und Majoran bestreuen. Käse darüber verteilen, mit Öl bestreichen. Pizza auf dem Backblech in den Backofen schieben.

Ober-/Unterhitze: 200–220 °C (vorgeheizt)
Heißluft: 180–200 °C (nicht vorgeheizt)
Gas: Stufe 4–5 (vorgeheizt)
Backzeit: etwa 20 Minuten.

Pizza auf Bauernart

Für den Teig:

250 g Weizenmehl
150 g Schweineschmalz
2 TL Zucker
1 Eiweiß
2 Eigelb
Salz

Für den Belag:

200 g Ricotta
2–3 Eier
2 EL gehackte Petersilie
100 g geriebener Parmesan
60 g Mozzarella
80 g Provolone
100 g gekochter Schinken
Salz
frisch gemahlener Pfeffer
1 Eigelb zum Bestreichen
1 EL Wasser

1. Alle Zutaten für den Teig verkneten. Der Teig soll fest, aber geschmeidig werden. Zu einer Kugel formen und 1/2 Stunde ruhen lassen.

2. Ricotta mit einer Gabel zerdrücken und Eier nach und nach darunterarbeiten. Petersilie und Parmesan dazugeben.

3. Mozzarella, Provolone und Schinken in kleine Würfel schneiden. Unter die Käsemasse mischen. Kräftig pfeffern, evtl. salzen.

4. Den Teig halbieren und ausrollen. Eine gefettete Springform (Ø 22 cm) mit dem Teig auslegen und einen Rand hochziehen.

5. Den Belag daraufgeben, mit dem restlichen ausgerollten Teig bedecken. Den Teigdeckel und den Rand gut zusammendrücken. Mit verquirltem Eigelb bestreichen und auf dem Rost in den Backofen schieben.

Ober-/Unterhitze: 180–200 °C (vorgeheizt)
Heißluft: 160–180 °C (nicht vorgeheizt)
Gas: Stufe 3–4 (vorgeheizt)
Backzeit: etwa 45 Minuten.

6. Die Pizza auf Bauernart kann warm oder kalt gegessen werden.

Pizza mit Miesmuscheln

Für den Teig:

300 g Weizenmehl

1 Pck. Trocken-Backhefe

1/2 TL Zucker

1 TL Salz

3 EL Speiseöl

125 ml (1/8 l) lauwarmes Wasser

Für den Belag:

1 kg Miesmuscheln

4 abgezogene Knoblauchzehen, in Scheiben geschnitten

2 Bund gehackte Petersilie

Salz

frisch gemahlener Pfeffer

100 ml Olivenöl

1. Für den Teig Mehl in eine Rührschüssel sieben, mit Hefe sorgfältig vermischen. Zucker, Salz, Öl und Wasser hinzufügen. Alle Zutaten mit einem Handrührgerät mit Knethaken zuerst auf der niedrigsten, dann auf der höchsten Stufe in etwa 5 Minuten zu einem Teig verkneten.

2. Den Teig an einem warmen Ort so lange stehen lassen, bis er sich sichtbar vergrößert hat.

3. Teig auf einem gefetteten Backblech ausrollen, ihn nochmals so lange an einem warmen Ort stehen lassen, bis er sich sichtbar vergrößert hat.

4. Muscheln unter fließendem kaltem Wasser abbürsten (geöffnete Muscheln sind ungenießbar), in einen Topf mit Wasser geben, zudecken und etwa 10 Minuten erhitzen, bis sich die Schalen öffnen (Muscheln, die sich nicht geöffnet haben, nicht verwenden). Schalen entfernen, Muschelfleisch auf der Pizza verteilen und mit den restlichen Zutaten gleichmäßig bedecken.

5. Mit Öl beträufeln und Backblech in den Backofen schieben.

Ober-/Unterhitze: etwa 200 °C (vorgeheizt)
Heißluft: etwa 180 °C (nicht vorgeheizt)
Gas: Stufe 3–4 (vorgeheizt)
Backzeit: etwa 35 Minuten.

Vegetarische Pizza

Für die Sauce:

- 2 Zwiebeln
- 2 Knoblauchzehen
- 2 EL Olivenöl
- 400 g passierte Tomaten (Fertigprodukt)
- 2 EL Tomatenmark
- 1 EL gerebelter Oregano
- 1 TL gerebeltes Basilikum
- 1 TL Salz
- frisch gemahlener Pfeffer

Für den Teig:

- 1 Pck. (42 g) frische Hefe
- 1 TL Zucker
- 220 ml lauwarmes Wasser
- 400 g Weizenmehl (Type 405 oder 550)
- 2 EL Olivenöl
- 2 gestr. TL Salz

Für den Belag:

- 200 g Artischockenherzen (aus dem Glas)
- 2 Tomaten
- 120 g Champignons
- 1 kleine Zucchini
- 50 g schwarze Oliven
- 2 EL abgetropfte Kapern
- 125 g Mozzarella
- 80 g Gouda
- 70 g Gorgonzola
- 1 EL gerebelter Oregano

1. Für die Sauce Zwiebeln und Knoblauch abziehen, fein würfeln. Öl erhitzen, Zwiebeln und Knoblauch darin andünsten. Tomaten, Tomatenmark und Gewürze dazugeben, Sauce aufkochen, dann 5 Minuten bei schwacher Hitze köcheln, dann abkühlen lassen.

2. Für den Teig Hefe mit Zucker und etwas Wasser vorsichtig verrühren und 10 Minuten gehen lassen.

3. Restliches Mehl, Öl und Salz mit einem Handrührgerät mit Knethaken zu einem elastischen Teig verkneten, an einem warmen Ort gehen lassen, bis er sich sichtbar vergrößert hat.

4. Teig auf ein gefettetes Backblech ausrollen.

5. Für den Belag Artischockenherzen abtropfen lassen, halbieren. Tomaten waschen, Stengelansätze entfernen, Tomaten in Scheiben schneiden. Pilze putzen, mit Küchenpapier abreiben, evtl. abspülen, in Scheiben schneiden. Zucchini putzen, waschen, die Enden abschneiden, Zucchini in Scheiben schneiden. Oliven und Kapern bereitstellen.

6. Tomatensauce auf dem Teig verteilen, Gemüse auf der Tomatensauce verteilen. Mozzarella abtropfen lassen, in dünne Scheiben schneiden. Gouda reiben, Gorgonzola in Würfel schneiden, die Käsesorten über das Gemüse streuen bzw. darauflegen.

7. Oregano darüberstreuen, Pizza in den Backofen schieben.

Ober-/Unterhitze: etwa 220 °C (vorgeheizt)
Heißluft: etwa 200 °C (nicht vorgeheizt)
Gas: etwa Stufe 4 (vorgeheizt)
Backzeit: etwa 20 Minuten.

Geflügelpizza

Für den Teig:

300 g Weizenmehl
1 Pck. Trocken-Backhefe
2 EL Speiseöl
1 gestr. TL Salz
gut 125 ml (1/8 l) lauwarmes Wasser

Für den Belag:

4 Stangen Staudensellerie (etwa 200 g)
1 Stange Porree (Lauch, etwa 200 g)
1 rote Paprikaschote (etwa 200 g)
1 Zwiebel, 1 Knoblauchzehe
3 EL Speiseöl
frisch gemahlener Pfeffer
Kräuter der Provence
400 g Hähnchenbrustfilet
3 EL Speiseöl
2 EL Sojasauce
3 EL Tomatenmark
4 Tomaten
100–150 g mittelalter Gouda
Olivenöl

Ober-/Unterhitze:
200–220 °C (vorgeheizt)
Heißluft: 180–200 °C
(nicht vorgeheizt)
Gas: Stufe 4–5
(vorgeheizt)
Backzeit:
etwa 25 Minuten.

1. Für den Teig Mehl in eine Schüssel sieben. Hefe sorgfältig unterrühren, Öl, Salz und Wasser hinzufügen. Alles mit einem Handrührgerät mit Knethaken zunächst auf der niedrigsten, dann auf der höchsten Stufe in etwa 5 Minuten zu einem Teig verarbeiten. Sollte er kleben, noch etwas Mehl hinzufügen (aber nicht zuviel, Teig muß weich bleiben).

2. Den Teig an einem warmen Ort so lange gehen lassen, bis er sich sichtbar vergrößert hat, und ihn nochmals durchkneten. Den Teig zu einem Quadrat von 30 x 30 cm ausrollen und auf ein mit Butter oder Margarine gefettetes Backblech legen.

3. Für den Belag Sellerie und Porree putzen, waschen, von dem Sellerie die harten Außenfäden abziehen und ihn in Scheiben schneiden.

4. Paprika halbieren, entstielen, entkernen, die weißen Scheidewände entfernen, waschen und in dünne Streifen schneiden. Zwiebel und Knoblauch abziehen und fein würfeln.

5. Öl erhitzen, das Gemüse, Zwiebel und Knoblauch etwa 5 Minuten darin dünsten, mit Salz, Pfeffer und Kräutern der Provence würzen und abkühlen lassen.

6. Hähnchenbrustfilet unter fließendem kaltem Wasser abspülen, abtrocknen, in dünne Streifen schneiden und mit Salz und Pfeffer bestreuen. Öl erhitzen und die Fleischstreifen unter häufigem Wenden darin etwa 3 Minuten braten lassen. Sojasauce darübergeben, gut verrühren und abkühlen lassen.

7. Den Teig mit Tomatenmark bestreichen und das Gemüse daraufgeben. Tomaten waschen, Stengelansätze entfernen, in Scheiben schneiden und darauf verteilen. Die Fleischstreifen darübergeben.

8. Gouda raspeln, über den Belag streuen, mit Kräutern der Provence bestreuen und mit Olivenöl beträufeln. Nochmals kurz gehen lassen.

Kartoffelpizza

750 g Kartoffeln
150 g durchwachsener Speck
500 g Tomaten
1/4 TL gerebelter Oregano
1 EL gehackte Petersilie
Knoblauchsalz
Pfeffer
100 g geriebener Käse

1. Kartoffeln schälen, waschen, in dünne Scheiben schneiden und zum Trocknen eine Zeitlang auf Haushaltspapier legen.

2. Speck in kleine Würfel schneiden und auslassen. Kartoffelscheiben hinzugeben und etwa 5 Minuten unter öfterem Wenden braten lassen.

3. Tomaten waschen, abtrocknen, die Stengelansätze herausschneiden, in Scheiben schneiden und mit den Kartoffelscheiben vermengen. Beide Zutaten gleichmäßig auf einem gefetteten Backblech verteilen und mit dem Oregano, der Petersilie, dem Knoblauchsalz und Pfeffer bestreuen. Pizza gleichmäßig mit Käse bestreuen.

Ober-/Unterhitze: 200–220 °C (vorgeheizt)
Heißluft: 180–200 °C (nicht vorgeheizt)
Gas: Stufe 4–5 (vorgeheizt)
Backzeit: etwa 25 Minuten.

4. Die Pizza in Stücke teilen, heiß servieren.

Mini-Pizzen mit Krabben

Für den Teig:

250 g Weizenmehl
1/2 Pck. Trocken-Backhefe
1/2 TL Salz
1 Msp. Zucker
2 EL Olivenöl
125 ml (1/8 l) lauwarmes Wasser

Für den Belag:

300 g gepulte Krabben
2 Eier
2 EL Crème double oder Crème fraîche
Salz
frisch gemahlener Pfeffer
Zitronenpfeffer
3 EL gehackte Petersilie
150 g geriebener Parmesan

1. Aus Mehl, Hefe, Salz, Zucker, Öl und Wasser einen Hefeteig herstellen. An einem warmen Ort gehen lassen, bis er sich sichtbar vergrößert hat, nochmals kurz durchkneten und zu 6 runden Teigplatten (Ø 12 cm) ausrollen.

2. Pizzen auf ein gefettetes Backblech legen und mit Krabben belegen. Ei mit Crème double oder Crème fraîche verrühren, mit Salz und Pfeffer würzen und gleichmäßig über die Krabben verteilen.

3. Petersilie und Parmesan darüberstreuen. Das Backblech in den Backofen schieben.

Ober-/Unterhitze: etwa 200 °C (vorgeheizt)
Heißluft: etwa 180 °C (nicht vorgeheizt)
Gas: etwa Stufe 4 (vorgeheizt)
Backzeit: 12–15 Minuten.

Mini-Porree-Pizzen

125 g Weizenmehl
1/4 TL Salz
70 g kalte Butter
2 EL kaltes Wasser
4 Scheiben junger Gouda
100 g durchwachsener Speck
2 Stangen Porree (Lauch)
Salz
frisch gemahlener Pfeffer
150 g Edamer

Zubereitungszeit: 1 Std.

1. Mehl sieben, mit Salz, Butter und Wasser rasch zu einem glatten Teig verkneten und eingewickelt 15 Minuten ruhen lassen.

2. Den Teig auf bemehlter Arbeitsfläche dünn ausrollen, 4 Tortelettförmchen (Ø etwa 10 cm) damit auskleiden und Gouda auf den Böden verteilen.

3. Speck in Würfel schneiden und auslassen. Porree putzen, seitlich einschneiden, gründlich waschen, in Streifen schneiden, im Speckfett etwa 10 Minuten dünsten, mit Salz und Pfeffer würzen.

4. Edamer würfeln und mit der Porree-Speck-Mischung auf die Torteletts verteilen.

Ober-/Unterhitze: etwa 200 °C (vorgeheizt)
Heißluft: etwa 180 °C (nicht vorgeheizt)
Gas: etwa Stufe 3 (vorgeheizt)
Backzeit: 15–20 Minuten.

Pikante Gemüsetorten

Zucchini-Champignon-Torte

Für den Teig:

250 g Weizenmehl
125 g kalte Butter
1 Ei
2 EL Wasser
1 Prise Salz

Für den Belag:

600 g kleine Zucchini
600 g Champignons
4 EL Butter
Salz
frisch gemahlener Pfeffer
Cayennepfeffer
1 TL Oregano
4 Knoblauchzehe
250 ml (1/4 l) Schlagsahne
4 Eigelb
geriebene Muskatnuß
Außerdem: Butter oder Margarine

1. Für den Teig Mehl auf die Arbeitsfläche sieben. Butter, Ei, Wasser und Salz dazugeben und rasch zu einem glatten Teig verkneten. Teig eingewickelt etwa 1 Stunde im Kühlschrank ruhen lassen.

2. Für den Belag Zucchini waschen, Enden abschneiden und die Zucchini in dünne Scheiben schneiden. Pilze putzen, mit Küchenpapier abreiben, evtl. abspülen und in Scheiben schneiden.

3. Butter zerlassen, Zucchini und Pilze darin portionsweise 4–5 Minuten braten. Zucchini und Pilze vermengen und mit Salz, Pfeffer, Cayennepfeffer und Oregano würzen.

4. Knoblauch abziehen, durch die Presse drücken und unterrühren. Sahne mit Eigelb verquirlen und mit Muskat, Salz und Pfeffer würzen.

5. Den Teig auf einer bemehlten Fläche messerrückendick ausrollen. Eine Springform (Ø 26 cm, Boden gefettet) mit dem Teig auskleiden, so daß ein etwa 3 cm hoher Rand entsteht.

6. Gemüse gleichmäßig auf dem Boden verteilen und mit der Eiersahne übergießen. Form auf dem Rost in den Backofen schieben.

Ober-/Unterhitze: 180– 200 °C (vorgeheizt)
Heißluft: 160–180 °C (nicht vorgeheizt)
Gas: etwa Stufe 3 (vorgeheizt)
Backzeit: etwa 45 Minuten.

Lauchkuchen

250 g Weizenmehl
125 g kalte Butter
1/2 TL Salz
1 Prise Zucker

Für den Belag:
100 g durchwachsener Speck
1 kg Lauch (Porree)
Salz, Pfeffer
200 g Frühlingsquark
3 Eier

1. Mehl in eine Rührschüssel sieben. Butter in Stücke schneiden, mit Salz und Zucker zu dem Mehl geben, alles schnell zu einem glatten Teig verkneten und etwa 30 Minuten kalt stellen.

2. Den Teig auf dem Boden einer gefetteten Springform (Ø 28 cm) ausrollen, am Rand etwa 2 cm hochdrücken. Die Form auf dem Rost in den Backofen schieben.

Ober-/Unterhitze: etwa 200 °C (vorgeheizt)
Heißluft: etwa 180 °C (nicht vorgeheizt)
Gas: etwa Stufe 4 (vorgeheizt)
Backzeit: etwa 10 Minuten.

3. Für den Belag Speck in Würfel schneiden und auslassen. Lauch putzen, das dunkle Grün bis auf etwa 10 cm entfernen, den Lauch in dünne Scheiben schneiden, gründlich waschen, abtropfen lassen, in dem Speckfett etwa 15 Minuten dünsten, mit Salz und Pfeffer würzen und abkühlen lassen.

4. Frühlingsquark mit Eiern unter den Lauch rühren. Die Masse auf den vorgebackenen Boden geben und glattstreichen.
Die Form wieder in den Backofen schieben, etwa 40 Minuten backen.

5. Den Lauchkuchen heiß servieren.

Tip: Den Lauchkuchen in kleinen Tortelettformen (Ø etwa 12 cm) backen.

Tomatentorte „Isabelle"

Für den Teig:

175 g Weizenmehl (Type 550)
1 gestr. TL Backpulver
Salz, 1 EL Wasser
100 g kalte Butter

Für den Belag:

500 g kleine Tomaten
frisch gemahlener Pfeffer
Speisewürze
200 g Maasdamer

2 Eier
1 Becher (150 g) Crème fraîche
geriebene Muskatnuß
1/2 TL gerebelter Oregano
Semmelbrösel

1. Für den Teig Mehl mit Backpulver mischen, in eine Rührschüssel sieben und in die Mitte eine Vertiefung eindrücken. Salz und Wasser hineingeben, Butter in Stücke schneiden, daraufgeben, mit Mehl bedecken und von der Mitte aus alle Zutaten schnell zu einem glatten Teig verkneten. Sollte er kleben, ihn eine Zeitlang kalt stellen.

2. Teig auf dem Boden einer gefetteten Springform (Ø etwa 24 cm) ausrollen, am Rand etwa 2 cm hochdrücken, den Boden mehrmals mit einer Gabel einstechen. Die Form auf dem Rost in den Backofen schieben und vorbacken.

Ober-/Unterhitze: 200–220 °C (vorgeheizt)
Heißluft: 180–200 °C (nicht vorgeheizt)
Gas: Stufe 4–5 (vorgeheizt)
Backzeit: 12–15 Minuten.

3. Für den Belag Tomaten kurze Zeit in kochendes Wasser legen (nicht kochen lassen), in kaltem Wasser abschrecken, enthäuten, halbieren und Stengelansätze herausschneiden. Tomaten mit der Schnittfläche nach oben auf einen Teller legen, mit Salz, Pfeffer und Speisewürze bestreuen und einige Zeit stehenlassen.

4. Käse raspeln oder in kleine Würfel schneiden, mit Eiern und Crème fraîche verrühren und mit Muskat und Oregano abschmecken.

5. Den vorgebackenen Tortenboden mit Semmelbröseln bestreuen, Tomatenhälften mit der Schnittfläche nach unten darauflegen und die Käsemasse gleichmäßig darauf verteilen. Form auf dem Rost in den Backofen schieben und bei gleicher Temperatur 30–35 Minuten fertigbacken.

Porree-Zwiebel-Kuchen

Für den Teig:

250 g Weizenvollkornmehl
1/2 Pck. Trocken-Backhefe
1 TL Kümmelpulver
1 TL Meersalz
50 g geriebener Emmentaler
1 Ei
40 g zerlassene, abgekühlte Butter
80 ml lauwarmes Wasser

Für den Belag:

40 g Butter, 250 g Zwiebeln
500 g Porree (Lauch)
1/2 TL Currypulver
1/2 TL gemahlener Majoran
1 1/2 TL gemahlener Thymian
1/4 TL Pfeffer, 1/4 TL Meersalz
100 g geriebener Emmentaler
2 Eier
150 g Crème fraîche
1/4 TL Kräutersalz

1. Für den Teig Mehl in eine Rührschüssel geben und mit Hefe sorgfältig vermischen. Kümmel, Meersalz, Käse, Ei, Butter und Wasser hinzufügen. Die Zutaten mit einem Handrührgerät mit Knethaken zunächst auf niedrigster, dann auf höchster Stufe in etwa 5 Minuten zu einem glatten Teig verarbeiten.

2. Den Teig an einem warmen Ort so lange stehen lassen, bis er sich sichtbar vergrößert hat, und ihn dann nochmals durchkneten. 2/3 des Teiges auf dem Boden einer gefetteten Springform (Ø etwa 28 cm) ausrollen, den Rest des Teiges zu einer Rolle formen, sie als Rand auf den Teigboden legen und so an die Form drücken, daß ein 2–3 cm hoher Rand entsteht.

3. Für den Belag Butter in der Pfanne erhitzen. Zwiebeln abziehen und in Ringe schneiden. Porree putzen, in Ringe schneiden, waschen und in der heißen Butter andünsten.

4. Curry, Majoran, Thymian, Pfeffer und Salz hinzufügen, mit der Porree-Zwiebel-Masse verrühren. Käse unter die Masse rühren und auf dem Teig verteilen.

5. Eier mit Crème fraîche und Kräutersalz verrühren und über die Gemüsemasse geben. Die Form auf dem Rost in den Backofen schieben.

Ober-/Unterhitze: etwa 200 °C (vorgeheizt)
Heißluft: etwa 180 °C (nicht vorgeheizt)
Gas: Stufe 3–4 (vorgeheizt)
Backzeit: etwa 40 Minuten.

Spitzkohltorte

- 800 g Spitzkohl
- 4–6 Spitzkohl-Außenblätter
- 3 Schalotten
- 2 EL Speiseöl
- 50 g gehackte Walnußkerne
- Salz
- frisch gemahlener Pfeffer
- 6 Eier
- 400 ml Schlagsahne
- geriebene Muskatnuß
- 8 tournierte Möhren mit Grün
- 8 tournierte weiße Rüben mit Grün
- einige Tropfen Speiseöl

1. Spitzkohl putzen, in Streifen schneiden und waschen. In Salzwasser etwa 2 Minuten blanchieren und anschließend zum Abtropfen auf ein Sieb geben. Spitzkohl-Außenblätter etwa 2 Minuten blanchieren und abtropfen lassen.

2. Schalotten abziehen und fein würfeln. Öl erhitzen, Schalottenwürfel und Kohlstreifen darin andünsten, Walnußkerne hinzufügen, mit Salz und Pfeffer würzen.

3. Eier mit Sahne verrühren, mit Salz, Pfeffer und Muskat würzen. Eine gefettete runde Auflaufform mit den Kohlblättern auslegen, gedünsteten Spitzkohl einfüllen, Sahne-Eier-Mischung darübergießen und auf dem Rost in den Backofen schieben.

Ober-/Unterhitze: etwa 180 °C (vorgeheizt)
Heißluft: etwa 160 °C (nicht vorgeheizt)
Gas: etwa Stufe 3 (vorgeheizt)
Garzeit: etwa 45 Minuten.

4. Kurz vor Ende der Garzeit überprüfen, ob die Eimasse fest geworden ist. Den Auflauf etwas abkühlen lassen, vorsichtig stürzen und in acht Stücke teilen.

5. Möhren und Rüben in Salzwasser 5–10 Minuten kochen. Mit Salz, Pfeffer und Speiseöl würzen. Jedes Auflaufstück mit je einer Möhre und Rübe garnieren und noch warm servieren.

Tip: Tournieren bedeutet: Gemüse mit einem Tourniermesser, das ist ein Messer mit einer speziellen Klinge, in eine hübsche Form bringen. Bei den Möhren und weißen Rüben werden z.B. die Gemüse so zurechtgeschnitten, daß sie eine gleichmäßige Größe und Form erhalten.

Tomatenkuchen

Für den Teig:

- 250 g Weizenmehl
- 1 Msp. Backpulver
- 250 g kalte Butter
- 250 g Magerquark

Für den Belag:

- 200 g gekochter Schinken
- 1 kg Fleischtomaten
- Salz, Pfeffer
- Kräuter der Provence
- 1 Zwiebel
- 1 Knoblauchzehe
- 1 Becher (150 g) Crème fraîche
- 2 Eier

1. Für den Teig Mehl mit Backpulver mischen und auf die Arbeitsfläche sieben. Butter in Stücke schneiden, darauf geben, mit Mehl bedecken und Quark hinzufügen. Von der Mitte aus alle Zutaten schnell zu einem glatten Teig verkneten, zu einem 1/2 cm dicken Rechteck ausrollen, zusammenklappen, in Alufolie wickeln und kalt stellen.

2. Nach einer Stunde den Teig wieder ausrollen, zusammenklappen, in Alufolie wickeln und wieder kalt stellen. Diesen Vorgang noch zweimal wiederholen.

3. Teig auf dem Boden einer gefetteten Springform (Ø 28 cm) ausrollen und am Rand etwa 2 cm hochdrücken.

4. Für den Belag Schinken in Würfel schneiden und auf dem Teigboden verteilen. Tomaten waschen, abtrocknen, Stengelansätze herausschneiden, Tomaten in Scheiben schneiden und schuppenartig darauf anordnen. Mit Salz, Pfeffer und Kräutern der Provence bestreuen.

5. Zwiebel abziehen und fein reiben. Knoblauch abziehen und zerdrücken. Crème fraîche mit Zwiebel, Knoblauch und Eiern verrühren, mit Salz und Pfeffer würzen und über die Tomatenscheiben verteilen. Die Form auf dem Rost in den Backofen schieben.

Ober-/Unterhitze: etwa 200 °C (vorgeheizt)
Heißluft: etwa 180 °C (nicht vorgeheizt)
Gas: etwa Stufe 3 (vorgeheizt)
Garzeit: etwa 30 Minuten.

Tomaten-Tarte

750 ml (3/4 l) Gemüsebrühe
150 g Maisgrieß
2 rote Paprikaschoten (400 g)
1 Zwiebel
1 Knoblauchzehe
1 Stange Porree (Lauch, etwa 200 g)
3 EL Olivenöl
1 TL Paprika edelsüß
1/2 TL Majoran
300 g Magerquark
1 kg Fleischtomaten
40 g Vollkornbrotbrösel
2 EL Olivenöl

1. Brühe zum Kochen bringen, mit Maisgrieß verrühren, aufkochen, bei schwacher Hitze in 15 Minuten ausquellen lassen.

2. Paprika halbieren, entstielen, entkernen, die weißen Scheidewände entfernen, Schoten waschen und fein würfeln. Zwiebel und Knoblauch abziehen und fein hacken. Porree putzen, gründlich waschen und in Ringe schneiden.

3. Öl erhitzen, Paprika, Zwiebel, Porree und Knoblauch darin andünsten. Mit Paprika edelsüß und Majoran würzen und etwa 5 Minuten dünsten lassen.

4. Quark unter den Maisbrei rühren und in eine gefettete Tarteform hineindrücken.

5. Tomaten waschen, abtrocknen, Stengelansätze entfernen, Tomaten in Scheiben schneiden, die Tarte mit dem Gemüse und Tomaten belegen. Vollkornbrotbrösel darüberstreuen, mit Öl beträufeln. Die Form auf dem Rost in den Backofen schieben.

Ober-/Unterhitze: etwa 240 °C (vorgeheizt)
Heißluft: etwa 200 °C (nicht vorgeheizt)
Gas: Stufe 4–5 (vorgeheizt)
Backzeit: etwa 20 Minuten.

Tip: Tomaten-Tarte mit saurer Sahne servieren.

Griechischer Spinatkuchen

1 Pck. (300 g) TK-Blätterteig

Für den Belag:

3 Zwiebeln

3 EL Olivenöl

2 Knoblauchzehen

3 Pck. (à 300 g) TK-Blattspinat

Salz

frisch gemahlener Pfeffer

250 g Schafskäse

75 g Gouda

3 Eier

1 Eiweiß

3 EL gehackter Dill

1 Eigelb

1 EL Olivenöl

1. Blätterteig nebeneinanderlegen und auftauen lassen.

2. Für den Belag Zwiebeln abziehen und würfeln. Öl erhitzen und Zwiebelwürfel darin andünsten.

3. Knoblauch abziehen, fein hacken und hinzufügen. Spinat unaufgetaut hinzufügen, im zugedeckten Topf auftauen lassen, zum Kochen bringen, durchrühren, etwa 5 Minuten dünsten lassen, mit Salz und Pfeffer würzen, erkalten und abtropfen lassen.

4. Schafskäse in Würfel schneiden, Gouda raspeln. Eier mit Eiweiß und Dill verrühren, Käse hinzufügen, mit Spinat vermengen, mit Pfeffer, evtl. (je nach Salzgehalt des Schafskäses) mit Salz abschmecken.

5. Zwei Drittel der Blätterteigplatten übereinanderlegen, zu einer runden Platte von etwa 30 cm Durchmesser ausrollen, auf den Boden einer Springform (Ø etwa 26 cm) legen, am Springformrand etwas hochdrücken.

6. Die Füllung darauf verteilen, die Teigränder über die Füllung geben und mit Wasser bestreichen. Den restlichen Blätterteig in der Größe des Springformbodens ausrollen, auf die Füllung legen und gut andrücken.

7. Aus den Teigresten nach Belieben Figuren ausschneiden und die Teigoberfläche damit garnieren. Eigelb mit Öl verschlagen und die Teigoberfläche damit bestreichen. Die Form auf dem Rost in den Backofen schieben.

Ober-/Unterhitze: 200–220 °C (vorgeheizt)
Heißluft: 180–200 °C (nicht vorgeheizt)
Gas: Stufe 3–4 (vorgeheizt)
Backzeit: etwa 30 Minuten.

Wirsingkuchen mit Pfifferlingen

300 g TK-Blätterteig
600 g Wirsing in Streifen
Salz
40 g Butter
2 EL Zwiebelwürfel
200 ml Schlagsahne
4 Eier
frisch gemahlener Pfeffer
geriebene Muskatnuß
180 g kleine Pfifferlinge
2 EL Schalottenwürfel
2 EL gehackte Kräuter
20 g Butter
3–4 EL Gemüsebrühe

1. Blätterteig abgedeckt bei Zimmertemperatur auftauen lassen.

2. Wirsingstreifen in Salzwasser etwa 2 Minuten blanchieren und in einem Sieb abtropfen lassen. Butter erhitzen, Zwiebelwürfel und Wirsingstreifen darin andünsten.

3. Blätterteig übereinanderlegen, ausrollen und eine gefettete flache Backform (Ø 26 cm) damit auslegen, mit Backpapier und Erbsen belegen (blindbacken). Die Form auf dem Rost in den Backofen schieben.

Ober-/Unterhitze: etwa 200 °C (vorgeheizt)
Heißluft: etwa 180 °C (nicht vorgeheizt)
Gas: etwa Stufe 4 (vorgeheizt)
Backzeit: etwa 12 Minuten.

4. Die Form aus dem Backofen nehmen, Backpapier und Erbsen entfernen und mit Wirsingstreifen füllen.

5. Sahne mit Eiern verquirlen, mit Salz, Pfeffer und Muskat würzen und über den Wirsing gießen.

6. Wirsingtorte auf dem Rost in den Backofen schieben und 40 Minuten bei gleicher Temperatur backen.

7. Pfifferlinge putzen, mit Küchenpapier abreiben, evtl. abspülen und mit Schalottenwürfeln und Kräutern in Butter anschwitzen. Gemüsebrühe angießen und etwas einkochen lassen. Mit Salz und Pfeffer würzen.

8. Den fertigen Wirsingkuchen in Tortenstücke schneiden, auf Tellern anrichten und mit Pfifferlingen garnieren.

Thymiankuchen

Für den Knetteig:

250 g Weizenmehl
1/2 gestr. TL Backpulver
1 Ei
Salz
frisch gemahlener Pfeffer
Paprika edelsüß
100 g Butter
75 g Schmelzkäse

Für den Belag:

2 Bund Frühlingszwiebeln
3 EL gehackter Thymian
500 g Pellkartoffeln (vom Vortag)
2 Fleischtomaten
Salz
frisch gemahlener Pfeffer

Für den Guß:

375 g Crème fraîche
75 g Schmelzkäse
2 Eier
25 g Weizenmehl
2 EL gehackter Thymian

Ober-/Unterhitze:
etwa 200 °C (vorgeheizt)
Heißluft: etwa 180 °C
(nicht vorgeheizt)
Gas: Stufe 3–4 (vorgeheizt)
Backzeit: 40–45 Minuten.

1. Für den Teig Mehl mit Backpulver in eine Rührschüssel sieben, die restlichen Zutaten für den Teig hinzugeben und mit Handrührgerät mit Knethaken zunächst kurz auf niedrigster, dann auf höchster Stufe gut durcharbeiten. Anschließend auf der Arbeitsfläche zu einem glatten Teig verkneten. Sollte er kleben, ihn eine Zeitlang kalt stellen.

2. Etwa 2/3 des Teiges zu einer Platte (Größe des Bodens der Auflaufform) ausrollen und in die gefettete Auflaufform legen. Die Form auf dem Rost in den Backofen schieben und vorbacken.

Ober-/Unterhitze: etwa 200 °C (vorgeheizt)
Heißluft: etwa 180 °C (nicht vorgeheizt)
Gas: Stufe 3–4 (vorgeheizt)
Backzeit: etwa 12 Minuten.

3. Den Boden abkühlen lassen. Restlichen Teig zu einer Rolle formen, auf den vorgebackenen Boden legen und an den Rand der Form drücken, so daß ein etwa 4 cm hoher Rand entsteht.

4. Für den Belag Frühlingszwiebeln putzen, waschen, trockentupfen, in Ringe schneiden und in der Form verteilen. Mit 1 Eßlöffel Thymian bestreuen.

5. Pellkartoffeln pellen, in Stifte schneiden, mit 1 Eßlöffel Thymian, Salz und Pfeffer bestreuen und auf den Frühlingszwiebeln verteilen.

6. Tomaten waschen, trockentupfen, Stengelansätze herausschneiden, Tomaten in Achtel schneiden, ebenfalls mit Thymian, Salz und Pfeffer würzen und über die Kartoffeln verteilen.

7. Die Zutaten für den Guß gut verrühren, mit Pfeffer und Salz würzen und den Thymiankuchen damit übergießen. Die Form auf dem Rost in den Backofen schieben.

Pikanter Kuchen mit Mangold (Foto)

Für den Teig:

- **225 g feingemahlener Weizen**
- **3–4 EL saure Sahne**
- **Meersalz**
- **150 g Butter**

Für den Belag:

- **1 Staude Mangold (500–600 g)**
- **2–3 Eier**
- **150 g saure Sahne**
- **100 ml Schlagsahne**
- **frisch gemahlener Pfeffer**
- **geriebene Muskatnuß**
- **gehackte Petersilie**

1. Für den Teig Mehl auf die Arbeitsfläche geben, eine Vertiefung eindrücken. Saure Sahne und Salz hineingeben. Butter in Flöckchen auf dem Rand verteilen, alles verkneten, etwa 20 Minuten kühl stellen.

2. Den Teig ausrollen, eine Springform (Ø 28 cm, Boden gefettet) damit belegen, den Rand etwas hochdrücken.

3. Für den Belag Mangold putzen und gut waschen. Stiele der Länge nach halbieren, zusammen mit den Blättern in etwa 1 cm breite Streifen schneiden. Einige Minuten in wenig Wasser dünsten, gut abtropfen und etwas auskühlen lassen, auf dem Teig verteilen.

4. Eier mit saurer und süßer Sahne verquirlen, mit Pfeffer, Salz und Muskat abschmecken, über das Gemüse gießen. Die Form auf dem Rost in den Backofen schieben.

Ober-/Unterhitze: 200–220 °C (vorgeheizt)
Heißluft: 180–200 °C (nicht vorgeheizt)
Gas: Stufe 4–5 (vorgeheizt)
Backzeit: etwa 30 Minuten.

5. Mit Petersilie bestreut servieren.

Zwiebel-, Bier-, und Speckkuchen

Quiche Lorraine

Für den Teig:

250 g Weizenmehl (Type 550)
1 Eigelb
1 Prise Salz
4 EL kaltes Wasser
125 g kalte Butter
80 g Greyerzer
125 g durchwachsener Speck
250 ml (1/4 l) Schlagsahne
4 Eier
Salz, Pfeffer
geriebene Muskatnuß

1. Für den Teig Mehl in eine Rührschüssel sieben und in die Mitte eine Vertiefung eindrücken. Eigelb, Salz und Wasser hineingeben und mit einem Teil des Mehls zu einem dicken Brei verarbeiten.

2. Butter in Stücke schneiden, daraufgeben und mit Mehl bedecken. Alle Zutaten von der Mitte aus schnell zu einem glatten Teig verkneten. Teig zu einer Platte (Ø 26 cm) ausrollen, in eine gefettete Springform (Ø 24 cm) legen, am Rand etwa 2 cm hochdrücken.

3. Teigboden mehrmals mit einer Gabel einstechen, den Teig vorbacken.

Ober-/Unterhitze: 200–220 °C (vorgeheizt)
Heißluft: 180–200 °C (nicht vorgeheizt)
Gas: Stufe 4–5 (vorgeheizt)
Backzeit: etwa 15 Minuten.

4. Greyerzer in feine Würfel schneiden. Speck würfeln, andünsten, mit Käse, Sahne und Eiern verrühren.

5. Masse mit Salz, Pfeffer und Muskat würzen und auf dem vorgebackenen Boden verteilen. Quiche wieder in den Backofen schieben.

Ober-/Unterhitze: 200–220 °C (vorgeheizt)
Heißluft: 180–200 °C (nicht vorgeheizt)
Gas: Stufe 4–5 (vorgeheizt)
Backzeit: etwa 25 Minuten.

Grüne Quiche

Für den Teig:

200 g Weizenmehl (Type 550)
100 g Butter
1 Eigelb
1/2 TL Salz
2 EL kaltes Wasser

Für den Belag:

2 Bund Frühlingszwiebeln
200 g Brokkoli
150 g Spinat
3 Bund gemischte Kräutern
4 Eier
200 ml Schlagsahne
150 g geriebener mittelalter Gouda
Salz, Pfeffer
geriebene Muskatnuß

200 g magerer Schinken
2 EL Pinienkerne

1. Für den Teig Mehl in eine Rührschüssel sieben. Butter, Eigelb, Salz und Wasser hinzufügen.

2. Die Zutaten mit einem Handrührgerät mit Knethaken zunächst auf niedrigster, dann auf höchster Stufe gut durcharbeiten. Anschließend auf einer leicht bemehlten Arbeitsfläche zu einem glatten Teig verkneten und etwa 1 Stunde kalt stellen.

3. Für den Belag Frühlingszwiebeln und Brokkoli putzen und waschen. Frühlingszwiebeln in Stücke schneiden, Brokkoli in kleine Röschen zerteilen und in kochendem Salzwasser etwa 2 Minuten blanchieren.

4. Gemüse auf ein Sieb geben, mit kaltem Wasser übergießen und abtropfen lassen. Spinat sorgfältig verlesen, die groben Stiele entfernen, in kochendem Salzwasser etwa 2 Minuten blanchieren, mit kaltem Wasser übergießen, gut ausdrücken, mit den Kräutern pürieren oder fein hacken. Eier, Sahne und Gouda unterrühren und mit Salz, Pfeffer und Muskat abschmecken.

5. Den Teig zwischen Folie zu einer runden Platte ausrollen (Ø etwa 30 cm). Eine gefettete Quicheform (Ø 26 cm) damit auslegen.

6. Schinken in kleine Würfel schneiden, mit Frühlingszwiebeln und Brokkoliröschen auf den Teigboden geben. Spinat-Käse-Masse darübergeben und mit Pinienkernen bestreuen.

Ober-/Unterhitze: etwa 200 °C (vorgeheizt)
Heißluft: etwa 180 °C (nicht vorgeheizt)
Gas: Stufe 3–4 (vorgeheizt)
Backzeit: etwa 30 Minuten.

Kohl-Quiche

- 1 kleiner Weißkohl (500 g)
- kochendes Salzwasser
- 500 g Spinat
- 2–3 abgezogene Knoblauchzehen
- 1 Bund glatte Petersilie
- 6 Salbeiblätter
- 150 g geriebener Allgäuer Emmentaler Käse
- 100 g Schafskäse (fein zerbröselt)
- 4 Eier
- 1 TL Salz
- frisch gemahlener Pfeffer
- Butter für die Form

1. Die äußeren Blätter des Kohlkopfes entfernen, den Kohl vierteln und den Strunk herausschneiden.

2. Den Kohl waschen, fein hobeln, in das kochende Salzwasser geben, etwa 5 Minuten kochen und abtropfen lassen.

3. Den Spinat verlesen, gründlich waschen, tropfnaß in einen Topf geben, erhitzen, bis die Blätter zusammenfallen, abtropfen lassen.

4. Knoblauchzehen zerdrücken, die Kräuter abspülen, trockentupfen und fein hacken.

5. Emmentaler und Schafskäse mit Eiern, Salz und Pfeffer verschlagen.

6. Alle Zutaten miteinander vermengen, in eine flache gefettete Quiche-Form füllen, mit gefettetem Pergamentpapier abdecken.

7. Die Form auf dem Rost in Backofen schieben.

Ober-/Unterhitze: etwa 200 °C (vorgeheizt)
Heißluft: 160-170 °C (nicht vorgeheizt)
Gas: etwa Stufe 3 (vorgeheizt)
Garzeit: etwa 30 Minuten.

8. 10 Minuten vor Beendigung der Backzeit das Pergamentpapier entfernen.

Gemüse-Quiche

Für den Teig:

- 200 g Weizenmehl
- 1 gestr. TL Salz
- 1 Ei
- 100 g weiche Butter

Für den Belag:

- 2 Zucchini (etwa 250 g)
- 100 g TK-Erbsen
- 300 g TK-Brokkoli
- 4 Tomaten
- Salz, Pfeffer
- 200 g Gouda
- 1 Becher (150 g) Crème fraîche
- 2 Eier
- 1 TL scharfer Senf
- 1 EL gehackte Kräuter
- geriebene Muskatnuß

1. Für den Teig Mehl in eine Rührschüssel sieben, Salz, Ei und Butter hinzufügen. Die Zutaten mit einem Handrührgerät mit Knethaken zunächst kurz auf niedrigster, dann auf höchster Stufe gut durcharbeiten, anschließend auf der Tischplatte zu einem glatten Teig verkneten. Den Teig zugedeckt 1 Stunde kalt stellen.

2. Für den Belag Zucchini putzen, waschen, in Scheiben schneiden, in kochendes Salzwasser geben, einmal aufkochen lassen, herausnehmen. Erbsen und Brokkoli nacheinander jeweils 3 Minuten in dem Zucchiniwasser kochen lassen, das Gemüse auf ein Sieb geben, mit kaltem Wasser übergießen, gut abtropfen und erkalten lassen.

3. Tomaten kurze Zeit in das kochende Wasser geben (nicht kochen lassen), in kaltem Wasser abschrecken, enthäuten, die Stengelansätze herausschneiden, in dünne Scheiben schneiden.

4. Den Teig ausrollen, eine Spring- oder Pie-Form mit gefettetem Boden (Ø etwa 26 cm) damit auslegen, den Rand 2–3 cm hochziehen, den Teigboden mehrmals mit einer Gabel einstechen.

5. Das Gemüse auf dem Boden verteilen. In die Mitte die Erbsen geben, dann Zucchinischeiben als Kreis, dann Brokkoli und als äußersten Kreis Tomatenscheiben auf den Boden legen, mit Pfeffer und Salz bestreuen.

6. Käse in Würfel schneiden, über das Gemüse geben. Crème fraîche mit Eiern, Senf und Kräutern verrühren, mit Salz und Muskatnuß abschmecken, über das Gemüse gießen. Die Form auf dem Rost in den Backofen, unterste Schiene schieben.

Ober-/Unterhitze: 180–200 °C (vorgeheizt)
Heißluft: 160–180 °C (nicht vorgeheizt)
Gas: Stufe 3–4 (vorgeheizt)
Backzeit: etwa 40 Minuten.

Mangold-Quiche

Für den Teig:

300 g Weizenmehl (Type 550)
1/2 TL Salz
200 g kalte Butter
6 EL kaltes Wasser

Für den Belag:

750 g Mangold
200 g Crème fraîche
100 ml Schlagsahne
Pfeffer, Salz
75 g Frühstücksspeck
1 TL Kümmel

1. Für den Teig Mehl in eine Rührschüssel sieben, Salz und Butter in Flöckchen hinzufügen, alle Zutaten miteinander verkneten. Wasser dazugeben, den Teig zur Kugel formen, in Frischhaltefolie eingewickelt im Gemüsefach des Kühlschranks 30 Minuten ruhen lassen.

2. Teig auf einer bemehlten Arbeitsfläche zu einer runden Teigplatte von 35 cm Durchmesser ausrollen, in eine gefettete Tarte-Form (Ø 30 cm) legen, die Ränder fest andrücken, den Teigboden mit einer Gabel mehrfach einstechen.

3. Für den Belag Mangold putzen, mehrmals gründlich waschen, abtropfen lassen. Blätter von den Stielen abtrennen. Blätter je nach Größe ein- bis zweimal längs halbieren, quer in etwa 1 cm breite Streifen schneiden. In einem großen Topf mit kochendem Salzwasser Stiele und Blätter etwa 3 Minuten darin blanchieren, gut abtropfen und abkühlen lassen und auf dem Quicheboden verteilen.

4. Crème fraîche mit Sahne, Pfeffer und Salz verquirlen, über das Gemüse gießen.

5. Speck in Streifen schneiden mit Kümmel auf die Quiche streuen, auf der unteren Schiene, auf dem Rost in den Backofen schieben.

Ober-/Unterhitze: etwa 220 °C (vorgeheizt)
Heißluft: etwa 200 °C (nicht vorgeheizt)
Gas: etwa Stufe 5 (vorgeheizt)
Backzeit: 25–30 Minuten.

6. Die Quiche heiß servieren.

Zwiebelkuchen mit Dinkel

Für den Teig:

375 g Dinkelmehl
1 Pck. Trocken-Backhefe
1 TL Zucker
200 ml lauwarmes Wasser
Meersalz
3 EL Speiseöl

Für die Füllung:

400 g Zwiebeln
3 EL Speiseöl
300 g geriebener Gouda
1 Becher (150 g) Crème fraîche
2 EL Milch
2 Eier
Salz
frisch gemahlener Pfeffer

1. Für den Teig Mehl in eine Rührschüssel geben, mit Hefe und Zucker sorgfältig mischen. Wasser, Salz und Öl hinzufügen.

2. Die Zutaten mit einem Handrührgerät mit Knethaken zunächst auf niedrigster, dann auf höchster Stufe in etwa 5 Minuten zu einem Teig verarbeiten.

3. Teig so lange an einem warmen Ort stehen lassen, bis er sich sichtbar vergrößert hat.

4. Für die Füllung Zwiebeln abziehen, in Ringe schneiden. Öl in einer Pfanne erhitzen, Zwiebeln darin glasig dünsten.

5. Gouda und Crème fraîche miteinander verrühren. Milch und Eier mit den Gewürzen verschlagen.

6. Den gegangenen Teig auf der Arbeitsfläche kurz durchkneten, dann auf einem gefetteten Backblech ausrollen.

7. Zuerst die Zwiebeln gleichmäßig darauf verteilen, darüber die Käsemasse verstreichen, Eiermilch zum Schluß darübergießen.

8. Vor den Teig einen mehrfach umgeknickten Streifen Alufolie legen. Teig nochmals so lange an einem warmen Ort gehen lassen, bis er sich sichtbar vergrößert hat.

9. Das Backblech in den Backofen schieben.

Ober-/Unterhitze: 200–220 °C (vorgeheizt)
Heißluft: 180–200 °C (nicht vorgeheizt)
Gas: Stufe 4–5 (vorgeheizt)
Backzeit: etwa 30 Minuten.

Elsässer Zwiebelkuchen

Für den Teig:

250 g Weizenmehl
15 g Frischhefe
1 TL Zucker
125 ml (1/8 l) Wasser
1 TL Salz

Für den Belag:

250 g Zwiebeln
25 g Butter
1 Becher (150 g) Crème fraîche
2 Eier
Salz, Pfeffer

geriebene Muskatnuß
Kümmelsamen
75 g durchwachsener Speck in dünnen Scheiben

1. Mehl in eine Schüssel sieben, in die Mitte eine Vertiefung drücken. Hefe mit Zucker und etwas lauwarmem Wasser verquirlen, bis die Hefe aufgelöst ist. An einem warmen Ort etwa 10 Minuten gehen lassen.

2. Restliches Wasser und Salz hinzugeben, mit den Knethaken des Handrührgerätes in etwa 5 Minuten zu einem Teig verarbeiten und so lange gehen lassen, bis er sich sichtbar vergrößert hat.

3. Für den Belag Zwiebeln abziehen, halbieren, in Ringe schneiden.

4. Butter erhitzen, Zwiebelringe darin andünsten. Crème fraîche mit den Eiern, Salz, Pfeffer, Muskat und Kümmel verrühren.

5. Teig dünn auf ein gefettetes Backblech ausrollen, Zwiebelringe darauf verteilen, dann Crème fraîche und zuletzt die Speckscheiben darauf verteilen.

6. Nochmal etwa 5 Minuten gehen lassen und backen.

Ober-/Unterhitze: etwa 220 °C (vorgeheizt)
Heißluft: etwa 200 °C (nicht vorgeheizt)
Gas: Stufe 4–5 (vorgeheizt)
Backzeit: 25–30 Minuten.

Tip: Paßt sehr gut zu jungem Wein.

Zwiebelkuchen vom Blech

Für den Teig:

- **400 g Weizenmehl (Type 550)**
- **1 Pck. Trocken-Backhefe**
- **1 TL Zucker**
- **1 gestr. TL Salz**
- **4 EL Speiseöl**
- **250 ml (1/4 l) lauwarme Milch**

Für den Belag:

- **11/2 kg Gemüsezwiebeln**
- **2 EL Speiseöl**
- **Salz**
- **frisch gemahlener Pfeffer**
- **getrockneter Oregano**
- **1 TL Kümmelsamen**
- **1 abgezogene, zerdrückte Knoblauchzehe**
- **350 g durchwachsener Speck**
- **200 g mittelalter Gouda**
- **3 Eier**
- **2 EL Crème fraîche**
- **Butter oder Margarine**

1. Für den Teig Mehl in eine Schüssel sieben und mit der Hefe sorgfältig vermischen. Zucker, Salz, Öl und Milch hinzufügen und alles mit einem Handrührgerät mit Knethaken zuerst auf niedrigster, dann auf höchster Stufe in etwa 5 Minuten zu einem Teig verarbeiten.

2. Den Teig an einem warmen Ort so lange gehen lassen, bis er sich sichtbar vergrößert hat.

3. Für den Belag Zwiebeln abziehen, vierteln und in Streifen schneiden. Öl erhitzen, Zwiebeln darin andünsten und mit Salz, Pfeffer und Oregano würzen. Kümmel und Knoblauchzehe unterrühren.

4. Speck in Würfel schneiden, Gouda raspeln. Speck, Gouda, Eier und Crème fraîche unter die Zwiebelmasse rühren und mit Salz und Pfeffer abschmecken.

5. Den gegangenen Teig nochmals kurz auf der Arbeitsfläche durchkneten und ihn in der Größe einer Fettfangschale ausrollen. Fettfangschale mit Butter oder Margarine ausfetten, den Teig hineingeben, an den Seiten hochdrücken und die Zwiebelmasse darauf verteilen.

6. Den Teig nochmals an einem warmen Ort gehen lassen, erst dann in den Backofen schieben.

Ober-/Unterhitze: 200–220 °C (vorgeheizt)
Heißluft: 180–200 °C (nicht vorgeheizt)
Gas: Stufe 3–4 (vorgeheizt)
Backzeit: etwa 40 Minuten.

Tip: Zu Federweißem reichen.

Vollkorn-Zwiebelkuchen

Für den Teig:

375 g Weizenvollkornmehl
1 Pck. Trocken-Backhefe
1 TL Rohrzucker
200 ml lauwarmes Wasser
Salz
3 EL Speiseöl
20 g zerlassene Butter

Für den Belag:

400 g Zwiebeln
3 EL Speiseöl
300 g geriebener Gouda
1 Becher (150 g) Crème fraîche
2 EL Milch
2 Eier
schwarzer Pfeffer

1. Für den Teig Mehl in eine Rührschüssel geben und mit Hefe sorgfältig mischen. Zucker, Wasser, Salz, Öl und Butter hinzufügen. Die Zutaten mit Handrührgerät mit Knethaken zunächst auf niedrigster, dann auf höchster Stufe in etwa 5 Minuten zu einem Teig verarbeiten. Teig so lange an einem warmen Ort stehenlassen, bis er sich sichtbar vergrößert hat.

2. Für den Belag Zwiebeln abziehen und in Ringe schneiden. Öl in der Pfanne erhitzen und Zwiebelringe darin glasig dünsten.

3. Gouda und Crème fraîche miteinander verrühren. Milch und Eier mit Salz und Pfeffer verschlagen.

4. Den gegangenen Teig nochmals gut durchkneten und auf einem gefetteten Backblech ausrollen. Vor den Teig einen mehrfach umgeknickten Streifen Alufolie legen.

5. Auf dem Teig zuerst Zwiebeln gleichmäßig verteilen, dann Käsemasse verstreichen und Eiermilch zum Schluß darübergießen. Teig nochmals so lange an einem warmen Ort gehen lassen, bis er sich sichtbar vergrößert hat. Das Backblech in den Backofen schieben.

Ober-/Unterhitze: 200–220 °C (vorgeheizt)
Heißluft: 180–200 °C (nicht vorgeheizt)
Gas: Stufe 4–5 (vorgeheizt)
Backzeit: etwa 30 Minuten.

Zwiebel-Porree-Kuchen

Für den Teig:

- 250 g Weizenvollkornmehl
- 1/2 Pck. Trocken-Backhefe
- 1 TL gemahlener Kümmel
- 70 g geriebener Emmentaler
- 1 TL Meersalz
- 60 ml lauwarmes Wasser
- 1 Ei
- 50 g zerlassene, abgekühlte Butter
- 1 EL Weizenmehl

Für den Belag:

- 150 g Zwiebeln
- 40 g Butter
- 200 g Porree (Lauch)

- 1 TL frischer Majoran
- 2 TL frischer Thymian
- 1/2 TL Rosmarinnadeln
- 1 Msp. weißer Pfeffer
- 120 g geriebener Gouda
- 80 g geröstete Erdnußkerne

Für den Guß:

- 4 Eier
- 1 Becher (150 g) Crème fraîche
- 1/2 TL Kräutersalz

1. Für den Teig Mehl in eine Rührschüssel geben und mit Hefe sorgfältig mischen.

2. Kümmel, Emmentaler, Meersalz, Wasser, Ei und Butter hinzufügen und alle Zutaten mit Handrührgerät mit Knethaken in etwa 5 Minuten zu einem Teig verarbeiten. An einem warmen Ort so lange gehen lassen, bis er sich sichtbar vergrößert hat.

3. Dann den Teig nochmals kurz durchkneten. 2/3 des Teiges auf dem gefetteten Boden einer Springform (Ø 28 cm) ausrollen, den Rest des Teiges mit 1 Eßlöffel Mehl verkneten, zu einer Rolle formen, sie als Rand auf den Teigboden legen und so an die Form drücken, daß ein 2–3 cm hoher Rand entsteht.

4. Für den Belag Zwiebeln abziehen, in dünne Ringe schneiden und in Butter glasig dünsten. Porree putzen, waschen und in Ringe schneiden, etwa 5 Minuten unter Rühren mitdünsten.

5. Majoran und Thymian fein hacken, zusammen mit Rosmarin, Pfeffer und Meersalz dazugeben und pikant abschmecken.

6. Die Hälfte des Käses auf dem Teigboden verteilen und das abgekühlte Gemüse darübergeben. Erdnüsse und restlichen Gouda darüber verteilen.

7. Für den Guß Eier, Crème fraîche und Kräutersalz miteinander verrühren und über die Masse gießen. Die Form auf dem Rost in den Backofen schieben.

Ober-/Unterhitze: etwa 200 °C (vorgeheizt)
Heißluft: etwa 180 °C (nicht vorgeheizt)
Gas: Stufe 3–4 (vorgeheizt)
Backzeit: etwa 40 Minuten.

Hessischer Speckkuchen

Für den Teig:

375 g Roggenmehl

1 Pck. Trocken-Backhefe

1 TL Zucker

1 gestr. TL Salz

4 EL Speiseöl

250 ml (1/4 l) lauwarmes Wasser

Butter oder Margarine

Für den Belag:

4 Brötchen (Semmeln)

250 g Magerquark

2 Becher (300 g) Crème fraîche

3 Eigelb

1 TL Kümmelsamen

3 EL gehackte Kräuter, z.B. Petersilie, Schnittlauch, Dill, Estragon

Salz

frisch gemahlener Pfeffer

625 g magerer, durchwachsener Speck

3 Eiweiß

1. Roggenmehl in eine Schüssel sieben, mit der Hefe sorgfältig vermischen, Zucker, Salz, Speiseöl und Wasser hinzufügen und alles mit einem Handrührgerät mit Knethaken zuerst auf der niedrigsten, dann auf der höchsten Stufe in etwa 5 Minuten zu einem Teig verarbeiten.

2. Sollte er kleben, noch etwas Mehl hinzufügen (aber nicht zu viel, Teig muß weich bleiben). Den Teig an einem warmen Ort so lange stehenlassen, bis er sich sichtbar vergrößert hat, ihn dann auf der Arbeitsfläche nochmals gut durchkneten und auf einem mit Butter oder Margarine gefetteten Backblech ausrollen.

3. Für den Belag die Brötchen in kaltem Wasser einweichen, gut ausdrücken, mit Quark, Crème fraîche, Eigelb, Kümmel und Kräutern verrühren, mit Salz und Pfeffer würzen.

4. Speck in Würfel schneiden und unterrühren.

5. Eiweiß steif schlagen und unterheben.

6. Den Belag gleichmäßig auf dem Teig verteilen und vor den Teig ein mehrfach umgeknicktes Stück Alufolie legen. Den Teig nochmals so lange an einem warmen Ort stehen lassen, bis er sich sichtbar vergrößert hat, ihn erst dann in den Backofen schieben.

Ober-/Unterhitze: 200–220 °C (vorgeheizt)
Heißluft: 180–200 °C (nicht vorgeheizt)
Gas: Stufe 3–4 (vorgeheizt)
Backzeit: 30–35 Minuten.

Zwiebelkuchen

Für den Teig:

250 g Weizenmehl

1 Pck. Trocken-Backhefe

1 Prise Salz

50 g zerlassene, abgekühlte Butter

125 ml (1/8 l) lauwarme Milch

Butter oder Margarine

Für den Belag:

500 g Zwiebeln

1–2 EL Butter oder Margarine

1 EL Weizenmehl

3 Eier, 300 g saure Sahne

Kümmelsamen, Salz

50 g durchwachsener Speck

1. Für den Teig Mehl in eine Schüssel sieben und mit Hefe sorgfältig vermischen. Salz, Butter und Milch hinzufügen und alles mit Handrührgerät mit Knethaken zuerst auf niedrigster, dann auf höchster Stufe in etwa 5 Minuten zu einem Teig verarbeiten.

2. Den Teig an einem warmen Ort so lange stehenlassen, bis er sich sichtbar vergrößert hat.

3. Für den Belag Zwiebeln abziehen, halbieren und in Streifen schneiden. Butter oder Margarine zerlassen und die Zwiebeln darin glasig dünsten lassen.

4. Mehl mit Eiern, saurer Sahne, Kümmel und Salz verrühren und mit den Zwiebeln vermengen.

5. Den Teig nochmals kurz durchkneten. Auf dem mit Butter oder Margarine gefetteten Boden einer Springform (Ø 26 cm) ausrollen und am Rand 2–3 cm hochdrücken. Die Masse gleichmäßig auf dem Teig verteilen.

6. Speck in Würfel schneiden und über die Zwiebelmasse streuen. Teig nochmals so lange an einem warmen Ort stehenlassen, bis er sich sichtbar vergrößert hat.

7. Form erst dann auf dem Rost in den Backofen schieben.

Ober-/Unterhitze: 200–220 °C (vorgeheizt)
Heißluft: 160–180 °C (nicht vorgeheizt)
Gas: Stufe 3–4 (vorgeheizt)
Backzeit: etwa 30 Minuten.

Speckkuchen

Für den Teig:

375 g Weizenmehl
1 Päckchen Trocken-Backhefe
1 gestr. TL Zucker
1 Ei
4 EL Speiseöl
125 ml (1/8 l) lauwarme Milch

Für den Belag:

500 g Zwiebeln
250 g durchwachsener Speck
250 g roher Schinken
50 g Butter
250 g saure Sahne
4 Eier
Salz
frisch gemahlener Pfeffer
gemahlener Kümmel
gehackte Petersilie
geschnittener Schnittlauch
Butter oder Margarine

1. Mehl in einer Rührschüssel sieben, mit Trocken-Backhefe sorgfältig vermischen. Zucker, Ei, Öl und Milch hinzufügen.
Die Zutaten mit einem Handrührgerät mit Knethaken zunächst auf niedrigster, dann auf höchster Stufe in etwa 5 Minuten zu einem Teig verarbeiten. Sollte er kleben, noch etwas Mehl hinzufügen, aber nicht zu viel, der Teig muß weich bleiben. Den Teig abgedeckt so lange an einem warmen Ort stehenlassen, bis er sich sichtbar vergrößert hat.

2. Zwiebeln abziehen, würfeln. Speck und Schinken in Würfel schneiden. Speck in einer Pfanne auslassen, Butter hinzufügen. Zwiebeln und Schinken etwa 10 Minuten mitbraten.

3. Den Teig aus der Schüssel nehmen, auf der bemehlten Arbeitsfläche nochmals gut durchkneten, auf einem gefetteten Backblech ausrollen, vor den Teig einen mehrfach geknickten Streifen Alufolie legen.

4. Den Belag gleichmäßig darauf verteilen. Sahne und Eier verrühren, mit Salz, Pfeffer, Kümmel würzen. Kräuter unterrühren. Sauce über die Speck-Zwiebel-Masse verteilen.

5. Teig nochmals so lange an einem warmen Ort gehen lassen, bis er sich sichtbar vergrößert hat. Das Backblech in den Backofen schieben.

Ober-/Unterhitze: 200-225 °C
(nicht vorgeheizt)
Heißluft: 170-180 °C (nicht vorgeheizt)
Gas: Stufe 4-5 (nicht vorgeheizt)
Backzeit: etwa 30 Minuten.

Pies, Wähen und Pasteten

Kartoffelpastete

- 1 Pck. (300 g) TK-Blätterteig
- 1 kg kleine, festkochende Kartoffeln
- 250 g durchwachsener Speck
- 3 EL feingeschnittener Schnittlauch
- 1 EL gehackte Majoranblättchen
- Salz
- frisch gemahlener weißer Pfeffer
- 1 Becher (150 g) Crème fraîche
- 3 Eier
- 1/2 Eiweiß
- 1/2 Eigelb
- geriebene Muskatnuß
- Paprika edelsüß
- 1/2 verschlagenes Eiweiß
- 1/2 Eigelb
- 1 EL Milch

1. Blätterteigplatten auseinanderlegen und bei Zimmertemperatur auftauen lassen.

2. Kartoffeln waschen, in so viel Wasser zum Kochen bringen, daß die Kartoffeln bedeckt sind, und in 20–25 Minuten gar kochen. Das Wasser abgießen, die Kartoffeln abdämpfen lassen, heiß pellen und erkalten lassen.

3. Kartoffeln in Scheiben und Speck in Würfel schneiden.

4. Etwa 3/4 des Blätterteigs auf einer bemehlten Arbeitsfläche zu einem Rechteck von 22 x 46 cm ausrollen und damit den Boden und die Ränder einer mit kaltem Wasser gespülten Springform auskleiden, so daß etwa 1 cm Teig überlappt.

5. Kartoffelscheiben, Speckwürfel, Schnittlauch und Majoranblättchen abwechselnd auf den Teigboden schichten, dabei die Kartoffelscheiben mit Salz und Pfeffer würzen.

6. Crème fraîche mit Eiern, Eiweiß und Eigelb verschlagen, mit Salz, Pfeffer, Muskatnuß und Paprika kräftig würzen und über die Zutaten verteilen.

7. Den restlichen Teig in der Größe der Tortenoberfläche ausrollen. Aus den Teigresten kleine Figuren ausstechen. Die überlappenden Teigränder und Figurenunterseiten mit dem verschlagenen Eiweiß bestreichen, Teigdecke auflegen, die Ränder fest zusammendrücken und die Figuren auf die Teigoberfläche setzen.

8. Das Eigelb mit der Milch verschlagen, die Teigoberfläche damit bestreichen und mehrmals mit einer Gabel einstechen. Die Form auf dem Rost in den Backofen schieben.

Ober-/Unterhitze: 200–220 °C (vorgeheizt)
Heißluft: 180–200 °C (nicht vorgeheizt)
Gas: Stufe 3–4 (vorgeheizt)
Backzeit: etwa 1 Stunde.

Zwiebelwähe

Für den Teig:

- **250 g Weizenmehl**
- **Salz**
- **100 g Butter**
- **2 EL Schweineschmalz**
- **3–4 EL kaltes Wasser**

Für den Belag:

- **2 mittelgroße Gemüsezwiebeln (500 g)**
- **2 EL Speiseöl**
- **Salz**
- **frisch gemahlener Pfeffer**
- **Paprika edelsüß**
- **2 Eier**
- **1 EL Weizenmehl**
- **125 ml (1/8 l) Milch**
- **125 ml (1/8 l) Schlagsahne**
- **geriebene Muskatnuß**
- **1 EL flüssige Butter**

1. Mehl mit Salz, Butter, Schmalz und Wasser mit einem Handrührgerät mit Knethaken zu einem glatten Teig verarbeiten.
Mit Frischhaltefolie abdecken und etwa 60 Minuten im Kühlschrank ruhen lassen.

2. Für den Belag Gemüsezwiebeln abziehen, halbieren und in Scheiben schneiden.
Öl erhitzen, Zwiebelscheiben darin andünsten und mit Salz, Pfeffer und Paprika würzen.

3. Eier, Mehl, Milch und Sahne verquirlen, mit Salz, Pfeffer und Muskat würzen.

4. Zwei Drittel des Teiges auf einem Springformboden (Ø 28 cm, Boden gefettet) ausrollen. Den Springformrand herumlegen.
Den restlichen Teig zu einer Rolle formen, als Rand auf den Teigboden legen und als etwa 3 cm hohen Rand an den Springformring andrücken.

5. Teig mit der Butter bestreichen. Alufolie in der Größe der Form auf Teigboden und -rand drücken. Die Form auf dem Rost in den Backofen schieben.

Ober-/Unterhitze: etwa 200 °C (vorgeheizt)
Heißluft: etwa 180 °C (nicht vorgeheizt)
Gas: Stufe 3–4 (vorgeheizt)
Backzeit: etwa 16 Minuten.

6. Nach 10 Minuten Backzeit die Folie entfernen.

7. Die Zwiebelmischung auf dem Teig verteilen, darauf das Eiergemisch geben. Die Wähe bei gleicher Temperatur noch etwa 25 Minuten backen.

Spinatwähe

Für den Teig:

250 g Weizenmehl

2 EL Crème fraîche

Salz

150 g kalte Butter

Für den Belag:

50 g durchwachsener Speck

2 Zwiebeln

1–2 EL Butter

75 ml Wasser

800 g Blattspinat

5 Scheiben gekochter Schinken

300 g Crème fraîche

3 Eier

Salz

frisch gemahlener Pfeffer

geriebene Muskatnuß

1. Für den Teig Mehl auf die Arbeitsfläche sieben und in die Mitte eine Vertiefung eindrücken. Crème fraîche mit Salz hineingeben und mit einem Teil des Mehls zu einem dicken Brei verarbeiten.

2. Butter in Stücke schneiden und mit Mehl bedecken. Von der Mitte aus alle Zutaten schnell zu einem glatten Teig verkneten. Den Teig etwa 30 Minuten ruhen lassen.

3. Für den Belag Speck in Streifen schneiden. Zwiebeln abziehen und würfeln. Butter erhitzen, Speckstreifen und Zwiebelwürfel darin andünsten. Gewaschenen Spinat hinzugeben, unter Rühren in etwa 5 Minuten garen lassen, auf ein Sieb zum Abtropfen geben.

4. Knapp zwei Drittel des Teiges zu einer runden Platte (Ø 28 cm) ausrollen, auf den Boden einer Quiche-Form legen, mehrmals mit einer Gabel einstechen, vorbacken.

Ober-/Unterhitze: 180–200 °C (vorgeheizt)
Heißluft: 160–180 °C (nicht vorgeheizt)
Gas: Stufe 3–4 (vorgeheizt)
Backzeit: 20–25 Minuten.

5. Aus dem restlichen Teig eine Rolle formen, auf den Boden legen, am Rand der Form hochdrücken.

6. Schinken auf dem Boden verteilen. Darauf die Spinatmasse geben. Crème fraîche mit Eiern, Salz, Pfeffer und Muskat verrühren und darauf verteilen.

7. Die Form auf dem Rost in den Backofen schieben und bei gleicher Temperatur noch etwa 40 Minuten backen.

Kaninchen-Pie mit Champignons

Für den Teig:

- **150 g Weizenmehl**
- **1/2 TL Backpulver**
- **50 g kalte Butter**
- **1 Eigelb**
- **4 EL kaltes Wasser**

Für das Ragout:

- **3 Kaninchenrücken à 400 g**
- **Salz**
- **frisch gemahlener Pfeffer**
- **2 Zwiebeln**
- **8 EL Olivenöl**
- **250 ml (1/4 l) Weißwein**
- **125 ml (1/8 l) Rindfleischbrühe**
- **200 g Champignons**
- **20 g Weizenmehl**
- **150 ml Schlagsahne**
- **1 Bund glatte Petersilie**
- **1 Eigelb**

Ober-/Unterhitze:
etwa 200 °C (vorgeheizt)
Heißluft: etwa 180 °C
(nicht vorgeheizt)
Gas: Stufe 3–4
(vorgeheizt)
Backzeit:
etwa 25 Minuten.

1. Für den Teig Mehl mit Backpulver mischen, sieben, auf die Arbeitsfläche geben. Butter, Eigelb und Wasser dazugeben, alles zu einem glatten Teig verkneten, in Folie gewickelt etwa 30 Minuten im Kühlschrank ruhen lassen.

2. Für das Ragout Kaninchenfleisch evtl. enthäuten, das Fleisch von den Knochen lösen, Bauchlappen abtrennen und das Fleisch kalt abspülen, trockentupfen.

3. Das Fleisch in 2 x 2 cm große Würfel schneiden, mit Salz und Pfeffer würzen. Die Knochen etwas zerkleinern.

4. Zwiebeln abziehen, fein würfeln, 3 Eßlöffel Öl erhitzen, Knochen und Bauchlappen darin bei starker Hitze anbraten, Zwiebelwürfel hinzugeben, mitschmoren lassen, mit Wein und Brühe angießen, 20 Minuten kochen lassen, auf ein Sieb geben, den Sud auffangen.

5. Champignons putzen, mit Küchenpapier abreiben, evtl. abspülen, Champignons in Scheiben schneiden. Das restliche Öl in dem Topf erhitzen, die Fleischwürfel rundherum anbraten, mit Salz, Pfeffer bestreuen.

6. Mehl darüberstäuben, den Fond mit Sahne auf 375 ml (3/8 l) auffüllen, zu dem Fleisch geben, einmal aufkochen lassen, mit Salz, Pfeffer abschmecken.

7. Petersilie abspülen, trockentupfen, die Blätter von den Stengeln zupfen, fein hacken, mit den Champignonscheiben unterrühren, das Ragout mit Salz, Pfeffer abschmecken, in eine flache, feuerfeste Pie-Form füllen.

8. Den Teig in der Größe der Pie-Form ausrollen. Eigelb verquirlen, den Rand der Form damit bestreichen, den Teig als Deckel darauflegen, die Ränder gut andrücken, aus den Teigresten Motive ausstechen und darauflegen, die Oberfläche mit Eigelb bestreichen, 2–3 Löcher in den Deckel stechen, damit der Dampf entweichen kann, die Form auf dem Rost in den Backofen schieben.

Verzeichnis der Rezepte nach Kapiteln

Pizzen in vielen Variationen

Pikante Gemüsetorten

Zwiebel-, Bier-, und Speckkuchen

Pies, Wähen und Pasteten

Verzeichnis der Rezepte in alphabetischer Ordnung